D0590140

Eintöpfe

Parragon
Bath · New York · Singapore · Hong Kong · Cologne · Delhi · Melbourne

Entwurf und Realisation:
The Bridgewater Book Company Ltd.

Parragon Books Ltd
Queen Street House
4 Queen Street
Bath BA1 1HE, UK

Übersetzung aus dem Englischen:
Susanne Lück (für rheinConcept, Wesseling), Annette Mader, Köln u. a.
Redaktion und Satz: rheinConcept, Wesseling
Koordination: trans texas Publishing Services GmbH, Köln

ISBN 978-1-4075-2523-5
Printed in Indonesia

HINWEISE

Sind Zutaten in Löffelmengen angegeben, ist immer ein gestrichener Löffel gemeint. Ein Teelöffel entspricht 5 ml, ein Esslöffel 15 ml.

Sofern nichts anderes angegeben ist, wird Vollmilch (3,5 % Fett) verwendet.

Eier und Gemüse (wie z. B. Kartoffeln) sollten generell von mittlerer Größe sein. Pfeffer sollte stets frisch gemahlen werden.

Die angegebenen Zubereitungszeiten können nur als ungefähre Richtwerte gelten.

Kinder, ältere Menschen, Schwangere, Kranke und Rekonvaleszenten sollten auf Gerichte mit rohen oder nur leicht gegarten Eiern verzichten.

Inhalt

Einführung

Die meisten Menschen kochen gern, doch unter Zeitdruck vergeht vielen die Lust, eine aufwändige Mahlzeit zuzubereiten. Komplizierte Menüfolgen zu planen, anzurichten und hinterher stundenlang Ordnung in die Küche zu bringen, ist nicht jedermanns Sache.

Unsere Gerichte aus einem Topf haben den Vorteil, dass Sie sie im Voraus zubereiten und dann portionsweise tiefgekühlt aufbewahren können. Für fast alle Rezepte brauchen Sie während der Zubereitung nur ein einziges Kochgeschirr, sodass Sie beim späteren Aufräumen und Spülen in der Küche Zeit und Mühe sparen können.

Die meisten Gerichte kommen direkt aus dem Ofen bzw. vom Herd auf den Tisch. Wenn Sie gern Freunde zum Essen einladen und den Tisch hübsch dekoriert mögen, lohnt sich die Anschaffung von Auflaufformen oder Schmortöpfen, die auch etwas fürs Auge bieten. Ein weiterer Vorteil der Zubereitung in einem Topf ist, dass das Gericht lange heiß bleibt, sodass Sie keine Servierteller vorwärmen müssen.

Gerichte aus einem Topf

Am besten servieren Sie Gerichte aus einem Topf mit einem klassischen grünen Salat oder auch mit Nudel- oder Reissalat. Geschmackliche Vielfalt entsteht durch die Zugabe verschiedener Dressings. Probieren Sie einen Salat mit kräftigem Dressing, z. B. mit Blauschimmelkäse, als Beilage zu Fleischgerichten und leichtere Salatsaucen wie etwa eine Vinaigrette zu Geflügel und Risotto.

Verfeinern Sie die Salate durch die Zugabe von Früchten, Nüssen, Croûtons oder Speckwürfeln. Mit Orangenfilets verleihen Sie einem Salat Farbe und einen appetitlich säuerlichen Geschmack. Salate mit frischem Obst eignen sich vor allem als Beilage zu obstfreundlichen Fleischgerichten wie Ente oder Schwein.

Geröstete Pinienkerne sind im Nu zubereitet und verleihen jedem Salat eine feine, aromatische Note, ohne den Geschmack anderer Zutaten zu überdecken. Croûtons sind oft

mit Kräutern oder Knoblauch gewürzt und passen im Salat am besten zu kräftig-aromatischen Gerichten. Croûtons sollten Sie immer erst kurz vor dem Servieren zum Salat zugeben, damit sie nicht durchweichen. Sollten die Croûtons durch lange Lagerung zu weich geworden sein, beträufeln Sie sie mit etwas Milch, legen sie auf ein mit Backpapier ausgelegtes Blech und backen sie bei 220 °C einige Minuten im vorgeheizten Ofen auf. Küchenfertige Croûtons und Speckwürfel finden Sie in den meisten gut sortierten Supermärkten. Wenn Sie sie korrekt lagern, bleibt ihr Aroma recht lange erhalten.

An Salatsorten steht Ihnen eine große Auswahl zur Verfügung. Probieren Sie ruhig einmal ungewöhnlichere Sorten, und achten Sie auf Geschmack, Farbe und Konsistenz. Versuchen Sie es mit Rucola, Eichblatt, Mizuna oder Radicchio, und kombinieren Sie diese mit gängigeren Sorten wie grünem Kopf- oder Eisbergsalat. Außerdem bieten sich als Zutaten natürlich Tomaten, Radieschen, Rote Bete, Frühlingszwiebeln, Weißkohlstreifen oder Sardellen an. Ihrer Fantasie sind keine Grenzen gesetzt. Werfen Sie einen Blick in Ihren Vorratsschrank – auch Thunfisch, Kapern, Balsamico-Essig und frisch geriebener Parmesan eignen sich hervorragend als Salatbestandteil.

Mit frischen Kräutern können Sie aus dem einfachsten Salat ein Geschmacksfeuerwerk zaubern. Dill passt sehr gut zu

Kartoffelsalaten oder Fisch. Häufig brauchen Sie für eine raffinierte Verfeinerung tatsächlich nicht mehr als ein paar Tropfen Olivenöl und eine Hand voll gehackte Kräuter.

Auch Nudel- und Reissalate können aus einem Topf zubereitet werden. Geben Sie einfach an Frischgemüse in den Salat, was Sie im Kühlschrank finden: Paprika, gewürfelte Gurke, Bohnensprossen, Möhrenraspel. Sie können auch hart gekochte gewürfelte Eier, Erdnüsse, Sonnenblumenkerne oder Käsewürfel zugeben. Wenn Sie Ihrer Inspiration folgen und die Zutaten spontan kombinieren, haben Sie auch an der Zubereitung schon viel Freude.

Kartoffeln und Bohnen sind ebenfalls eine gute Salatgrundlage. Bohnensalat bereiten Sie am besten aus Kidneybohnen oder weißen Cannellini-Bohnen zu. Auch Tomatensalat mit Zwiebeln oder Weißkohl mit Rosinen sind eine köstliche Abwechslung.

Die meisten Dressings sind gekühlt längere Zeit haltbar. Sie können sie problemlos selbst zubereiten. Küchenfertige Dressings sind solchen, die selbst frisch zubereitet werden, nicht nur geschmacklich unterlegen, sondern sie enthalten meist unnötige Farbstoffe, Konservierungsmittel und Geschmacksverstärker.

Um Mayonnaise zu verfeinern, fügen Sie einfach eine Hand voll frisch gehackte Kräuter hinzu. Als kräftigere Beilage zu Eintöpfen können Sie Blauschimmelkäse zerkrümeln und diesen mit der Mayonnaise glatt rühren. Zu Huhn, Kartoffeln oder Fisch schmeckt ein Mayonnaise-Dressing mit gehacktem Dill oder Schnittlauch. Der Fantasie sind keine Grenzen gesetzt: Auch die Zugabe von sonnengetrockneten Tomaten oder Knoblauchöl ergibt schmackhafte Varianten.

Eine weitere leckere Beilage zu diesen Gerichten aus einem Topf ist das Brot, das Sie statt des Salats oder auch zusätzlich servieren können. Wenn Sie gern verschiedene Brotsorten vorrätig haben, frieren Sie sie portionsweise ein, und backen Sie sie vor dem Servieren auf. Je nach Geschmacksrichtung des zubereiteten Gerichts eignen sich zahlreiche Sorten als Beilage. Zu dünnflüssigeren Suppen und Eintöpfen schmeckt natürlich französisches Baguette oder italienische Ciabatta hervorragend. Ciabatta ist in der Regel auch mit Kräutern, Fenchel oder Oliven verfeinert erhältlich und passt somit am besten zu mediterranen Eintopfgerichten. Rustikalere Mahlzeiten vertragen auch gut kräftigeres und nahrhafteres Brot, etwa Vollkorn- oder Roggenbrot. Probieren Sie einfach aus, was Ihnen am besten schmeckt und bekommt.

Ein köstlich-aromatisches Knoblauchbrot können Sie ganz einfach selbst herstellen: Vermengen Sie ein Stück weiche Butter mit etwas Salz und Pfeffer, frisch gehackten Kräutern nach Wahl und einer mittleren Portion fein gehacktem Knoblauch. Dann schneiden Sie ein aufgebackenes französisches Baguette auf der Oberseite in regelmäßigen Abständen quer ein und streichen jeweils eine kleine Portion Knoblauchbutter in die Einschnitte.

Eine ganz einfache Methode zur Verfeinerung von Eintöpfen besteht darin, dazu Käse und Brot zu reichen. Baguette eignet sich auch hier sehr gut, aber Sie können jede andere Brotsorte verwenden, die sich in dicke Scheiben schneiden lässt. Am besten gelingt das Belegen übrigens mit leicht altbackenem Brot, da es eine etwas festere Konsistenz besitzt. Das Brot wird dafür in dicke Scheiben geschnitten, und diese werden dann dünn mit Butter oder Olivenöl bestrichen. Nach Belieben können Tomatenscheiben darauf verteilt werden. Dann wird das Brot mit dünnen Käsescheiben belegt (Gruyère, Edamer oder Gouda sind gut geeignet). Legen Sie die Brotscheiben gegen Ende der Garzeit oben auf das Eintopf- oder Auflaufgericht, bis das Brot etwas Sauce zieht und der Käse leicht schmilzt. Alternativ können Sie auch je eine belegte Brotscheibe in jede Servierschale legen, bevor Sie den Eintopf oder die Suppe darin servieren.

Tomatensuppe und andere dunkle Suppen sehen sehr appetitlich aus, wenn Sie sie zum Servieren auf Suppenteller verteilen und auf jede Portion einen kleinen Schlag Sahne geben. Ziehen Sie die Sahne dann mit einem Zahnstocher vorsichtig spiralförmig auseinander. Mit saurer Sahne und Joghurt lassen sich dünnflüssige Suppen etwas sämiger machen und schmecken auch angenehm säuerlich. Saure Sahne und Joghurt sollten gegen Ende der Garzeit zugegeben werden, damit alles gut durchwärmt wird. Die Suppe sollte dann nicht wieder aufgekocht werden.

Fleisch

Ob Schinken oder Wurst, Rind oder Schwein – mit Fleisch haben Sie ein einfaches Gericht zur Hand oder können Ihre Gäste auch aufwändiger bewirten. Hier finden Sie zahlreiche Anregungen für Fleischsuppen, saftige Eintöpfe, scharfe Currys und Pfannengerührtes, beliebte Familiengerichte wie Chili con carne (s. S. 34) und Klassisches wie Schweinefilet Stroganoff (s. S. 42) und Lamm-Biryani (s. S. 59). Abenteuerlustige Köche experimentieren vielleicht lieber mit ungewöhnlichen Zutaten und versuchen es mit Ausgefallenem wie Kaninchen mit Fenchel (s . S. 36). Außerdem erwarten Sie beliebte Kindergerichte, raffinierte Kombinationen für besondere Gelegenheiten, herzhafte Winter- und leichte Sommergerichte, scharfe und würzige Currys sowie Rezepte aus China, Mexiko oder Indien – alles aus einem Topf!

Schottische Suppe

Für 4–6 Personen

60 g Perlgraupen
300 g Lammfleisch ohne Knochen (z. B. Schulter oder Nacken), in 1 cm große Würfel geschnitten
700 ml Wasser
1 Zwiebel, fein gehackt
2 Knoblauchzehen, fein gehackt oder zerdrückt
1 l Hühner- oder Fleischbrühe
1 Lorbeerblatt
1 große Porreestange, längs geviertelt und in Stücke geschnitten
2 große Karotten, fein gewürfelt
1 Pastinake, fein gewürfelt
125 g Steckrübe, fein gewürfelt
Salz und Pfeffer

2 EL frisch gehackte Petersilie

1 Die Graupen unter kaltem Wasser abspülen. In einen Topf geben, mit reichlich Wasser bedecken, aufkochen und 3 Minuten garen. Den aufsteigenden Schaum abschöpfen. Im geschlossenen Topf beiseite stellen.

2 Das Lammfleisch mit dem Wasser in einen Topf geben und aufkochen. Den Schaum abschöpfen.

3 Zwiebel, Knoblauch, Brühe und Lorbeerblatt zugeben. Hitze reduzieren und alles abgedeckt 15 Minuten köcheln lassen.

4 Die Graupen abgießen und zur Suppe geben. Porree, Karotten, Pastinake und Rübe ebenfalls zufügen. 1 Stunde unter gelegentlichem Rühren köcheln lassen, bis Fleisch und Gemüse weich sind.

5 Die Suppe abschmecken. Auf vorgewärmte Teller geben, mit gehackter Petersilie bestreuen und sofort servieren.

2

3

4

TIPP

Je magerer Sie das Lammfleisch wählen, desto fettärmer und bekömmlicher fällt das Gericht aus. Wenn man die Suppe vorkocht, kann man nach dem Erkalten das erstarrte Fett einfach von der Oberfläche abnehmen.

Kohlsuppe mit Wurst

Für 6 Personen

350 g möglichst kräftig gewürzte Mettwürstchen
2 TL Öl
1 Zwiebel, fein gehackt
1 Porreestange, längs halbiert und klein geschnitten
2 Karotten, halbiert und in dünne Scheiben geschnitten
400 g Tomaten aus der Dose
350 g junger Weißkohl, grob gehobelt
1–2 Knoblauchzehen, fein gehackt
1 Prise getrockneter Thymian
1,5 l Hühner- oder Fleischbrühe
Salz und Pfeffer
frisch geriebener Parmesan, zum Garnieren

VARIATION

Anstelle der selbst gekochten Brühe können Sie ein Instantprodukt verwenden. Geben Sie dann etwas mehr Zwiebeln und Knoblauch zu und kochen Sie ein Bouquet garni mit.

1 Die Würstchen mit Wasser kurz aufkochen, dann die Hitze reduzieren und die Würste ziehen lassen. Abgießen und kurz abkühlen lassen. Nach Wunsch Haut abziehen und die Wurst in Scheiben schneiden.

1

2 Das Öl bei mittlerer Hitze in einem Topf erwärmen. Zwiebel, Porree und Karotten zugeben und etwa 3–4 Minuten unter gelegentlichem Rühren glasig andünsten.

2

3 Tomaten, Kohl, Knoblauch, Thymian, Brühe und Wurstscheiben zugeben. Aufkochen, dann die Hitze reduzieren und mit halb geschlossenem Deckel 40 Minuten köcheln lassen. Gelegentlich umrühren.

3

4 Die Suppe abschmecken und bei Bedarf nachwürzen. In vorgewärmte Suppenteller füllen und mit geriebenem Parmesan bestreut servieren.

Deftige Rindfleisch-Graupen-Suppe

Für 4 Personen

60 g Perlgraupen
1,2 l Rinderbrühe
1 TL Kräuter der Provence
225 g Rindfleisch
(z. B. Rumpsteak oder Hüfte)
1 große Karotte, gewürfelt
1 Porreestange, in Ringe geschnitten
1 Zwiebel, gehackt
2 Staudensellerie, in Scheiben
Salz und Pfeffer
2 EL frisch gehackte Petersilie
Weißbrot, zum Servieren

VARIATION

Auch mit magerem Schweine- oder Lammfleisch schmeckt diese Suppe köstlich. Vegetarier lassen das Fleisch weg und verwenden statt der Rindfleischbrühe Gemüsebrühe. Kurz vor dem Servieren 175 g abgetropften, gewürfelten Tofu zugeben. Gehaltvoller wird die Suppe, wenn man statt der Karotte – oder zusätzlich – andere Wurzelgemüse zugibt, z. B. Steckrüben.

1 Die Graupen in einen großen Topf geben, Brühe und Kräutermischung zugeben. Aufkochen und abgedeckt 10 Minuten köcheln lassen.

1

2 Das Fleisch sorgfältig vom Fett befreien und in dünne Streifen schneiden.

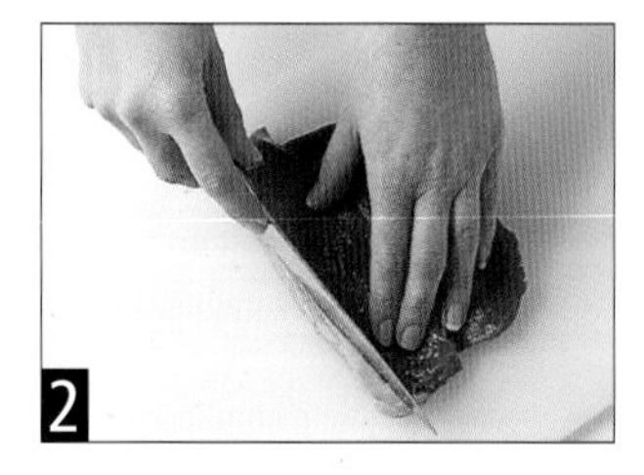
2

3 Den Schaum mit einer Schaumkelle von der Brühe abschöpfen.

3

4 Fleisch, Karotte, Porree, Zwiebel und Sellerie zur Suppe geben. Aufkochen und abgedeckt weitere 20 Minuten garen, bis Fleisch und Gemüse weich sind.

5 Den Schaum von der Suppe abschöpfen, dann das Fett mit Küchenpapier von der Oberfläche abnehmen. Mit Salz und Pfeffer abschmecken.

6 Die Suppe in vorgewärmte Schalen füllen und mit der Petersilie bestreuen. Mit Weißbrot servieren.

Rindfleisch-Gemüse-Suppe

Für 4–6 Personen

250 g Tomaten
2 Maiskolben
1 l Rindfleischbrühe oder
Instantbrühe
1 Karotte, in dünnen Scheiben
1 Zwiebel, gehackt
1 fest kochende Kartoffel, gewürfelt
¼ Weißkohl, fein gehobelt
¼ TL gemahlener Kreuzkümmel
¼ TL mildes Chilipulver
¼ TL Paprikapulver
220 g gekochtes Rindfleisch, in
Stücke geschnitten
3–4 EL frisch gehackter Koriander
scharfe Salsa, zum Servieren

1 Tomaten in einer Schüssel mit kochendem Wasser übergießen und 30 Sekunden ruhen lassen. Abgießen, abschrecken, häuten und in Würfel schneiden.

2 Die Maiskolben mit einem scharfen Messer in 2,5 cm große Stücke schneiden.

3 Brühe, Tomaten, Karotte, Zwiebel, Kartoffel und Kohl in einen Topf geben und aufkochen. Dann die Hitze reduzieren und die Suppe 10–15 Minuten köcheln lassen, bis das Gemüse gar ist.

TIPP

Um eine gehaltvollere Suppe mit dem Geschmack der berühmten mexikanischen Dampfklößchen, den so genannten Tamales, zu erhalten, können dem Gericht bei Schritt 4 einige Esslöffel einer verquirlten Mischung aus Wasser und Masa-Harina-Mehl zugegeben werden.

4 Mais, Kreuzkümmel, Chili- und Paprikapulver sowie die Fleischstücke zugeben und die Suppe bei mittlerer Hitze erneut aufkochen.

5 Die fertige Suppe auf Suppenteller verteilen und nach Belieben mit Koriander garnieren. Die Salsa getrennt dazu reichen.

Rindfleischsuppe mit Wasserkastanien

Für 4 Personen

350 g Rindfleisch
(z. B. Rumpsteak oder Hüfte)
1 l Rinderbrühe
1 Zimtstange, durchgebrochen
2 Sternanis
2 EL dunkle Sojasauce
2 EL trockener Sherry
3 EL Tomatenmark
115 g Wasserkastanien, abgetropft und in Scheiben geschnitten
175 g gekochter weißer Reis
1 TL abgeriebene Orangenschale
6 EL Orangensaft
Salz und Pfeffer
GARNIERUNG
Orangenschale, in Streifen
2 EL Schnittlauchröllchen

VARIATION

Ohne Reis ist dies eine ideale Vorsuppe für asiatische Menüs. Soll sie als Hauptgericht serviert werden, garen Sie fein gewürfeltes Gemüse mit, z. B. Karotten, Paprika, Mais oder Zucchini.

1 Sorgfältig den Fettrand vom Fleisch lösen. Das Fleisch in dünne Streifen schneiden und in einen großen Topf legen.

2 Die Brühe zugießen, dann Zimt, Sternanis, Sojasauce, Sherry, Tomatenmark und Wasserkastanien zugeben. Aufkochen und mit einer Kelle den Schaum von der Oberfläche abschöpfen. Den Topf abdecken und die Mischung etwa 20 Minuten kochen, bis das Fleisch weich ist.

3 Noch einmal Schaum abschöpfen. Zimt und Sternanis entfernen. Das Fett von der Oberfläche mit Küchenpapier abnehmen.

4 Reis, Orangenschale und Saft einrühren, dann die Suppe mit Salz und Pfeffer abschmecken. 2–3 Minuten erwärmen, dann in vorgewärmte Schälchen füllen. Mit Streifen von Orangenschale und Schnittlauchröllchen garnieren. Sofort heiß servieren.

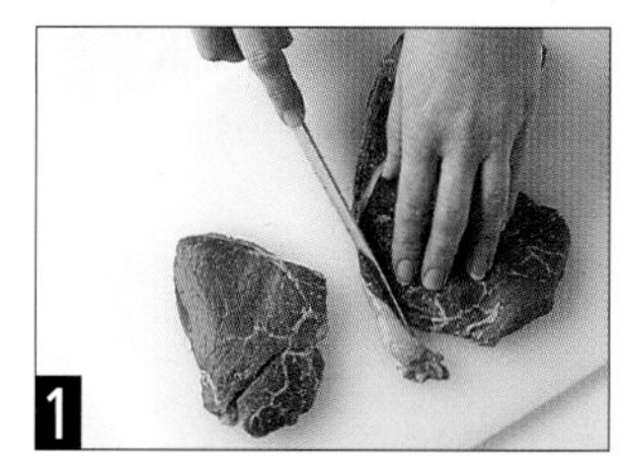

1

3

4

Kartoffel-Rindfleisch-Suppe

Für 4 Personen

2 EL Öl
200 g Rumpsteak, in Streifen
250 g neue Kartoffeln, halbiert
1 Karotte, gewürfelt
2 Selleriestangen, in Scheiben
2 Porreestangen, in dünnen Ringen
900 ml Rinderbrühe
8 Babymaiskolben, in Scheiben
1 Bouquet garni
2 EL trockener Sherry
Salz und Pfeffer
frisch gehackte Petersilie, zum Garnieren
frisches Brot, zum Servieren

TIPP

Bereiten Sie gleich die doppelte Menge zu und frieren Sie den Rest ein. Vor dem Aufwärmen sollten Sie die Suppe dann langsam im Kühlschrank auftauen lassen.

1 Das Öl in einem großen Topf erhitzen, das Fleisch zugeben und unter ständigem Rühren 3 Minuten anbraten.

2 Kartoffeln, Karotte, Sellerie und Porree zufügen und unter Rühren weitere 5 Minuten dünsten.

3 Die Rinderbrühe zugießen und aufkochen. Die Hitze reduzieren, bis die Suppe schwach köchelt, dann Mais und Bouquet garni zugeben.

4 20 Minuten köcheln lassen, bis Fleisch und Gemüse gar sind.

5 Das Bouquet garni herausnehmen und wegwerfen. Den Sherry einrühren und die Suppe mit Salz und Pfeffer abschmecken.

6 Auf vorgewärmte Suppenteller geben und mit der Petersilie bestreuen, sofort servieren. Frisches Brot dazu reichen.

Kalbssuppe mit Schinken und Sherry

Für 4 Personen

60 g Butter
1 Zwiebel, gehackt
1 Karotte, gewürfelt
1 Selleriestange, gewürfelt
400 g Kalbfleisch, dünn aufgeschnitten
500 g Schinken, dünn aufgeschnitten
60 g Mehl
1 l Rinderbrühe
1 Lorbeerblatt
8 schwarze Pfefferkörner
1 Prise Salz
3 EL rotes Johannisbeergelee
150 ml Cream Sherry
100 g Vermicelli
Knoblauch-Croûtons, zum Servieren

TIPP

Für die Knoblauch-Croûtons: 3 Scheiben Weißbrot in 1 cm große Würfel schneiden. 3 EL Olivenöl erhitzen und 1–2 fein gehackte Knoblauchzehen 2 Minuten darin andünsten. Den Knoblauch entfernen und das Brot goldbraun rösten.

2

2

3

1 Die Butter in einem großen Topf zerlassen. Zwiebel, Karotte, Sellerie, Kalbfleisch und Schinken zugeben und unter Rühren 6 Minuten bei mittlerer Hitze dünsten.

2 Mit Mehl bestreuen und weitere 2 Min. dünsten. Nach und nach Brühe einrühren, dann Lorbeerblatt, Pfefferkörner und Salz zugeben. Aufkochen und 1 Stunde köcheln lassen.

3 Vom Herd nehmen und das Gelee sowie den Sherry einrühren. Mindestens 4 Stunden beiseite stellen.Das Lorbeerblatt entfernen und die Suppe bei schwacher Hitze aufwärmen.

4 Vermicelli 10–12 Minuten kochen. Einrühren und die Suppe auf vorgwärmte Teller geben. Mit Knoblauch-Croûtons servieren (s. Tipp).

Toskanische Kalbfleischsuppe

Für 4 Personen

60 g getrocknete Erbsen, 2 Stunden eingeweicht und abgetropft
900 g Kalbfleisch, gewürfelt
1,2 l Rinderbrühe
600 ml Wasser
60 g Graupen, gewaschen
Salz und weißer Pfeffer
1 große Karotte, gewürfelt
1 kleine weiße Rübe, gewürfelt
1 große Porreestange, in dünne Ringe geschnitten
1 rote Zwiebel, fein gehackt
100 g Tomaten, gewürfelt
1 frischer Basilikumzweig
100 g Vermicelli

1 Erbsen, Fleisch, Brühe und Wasser in einen großen Topf geben und langsam aufkochen. Mit einem Schaumlöffel den gesamten Schaum abschöpfen.

2 Die Graupen und 1 Prise Salz in die Suppe geben. 25 Minuten bei schwacher Hitze köcheln lassen.

3 Karotte, Rübe, Porree, Zwiebel, Tomaten und Basilikum in den Topf geben und abschmecken. Etwa 2 Stunden köcheln lassen und von Zeit zu Zeit den Schaum abschöpfen. Den Topf vom Herd nehmen und 2 Stunden beiseite stellen.

4 Die Suppe bei mittlerer Hitze aufkochen. Die Vermicelli zugeben und 12 Minuten garen. Mit Salz und Pfeffer abschmecken und das Basilikum entfernen. Die Suppe sofort servieren.

Chinesische Kartoffelsuppe

Für 4 Personen

1 l Hühnerbrühe
2 große Kartoffeln, gewürfelt
2 EL Reisweinessig
2 EL Speisestärke
4 EL Wasser
125 g Schweinefilet, in Streifen
1 EL helle Sojasauce
1 TL Sesamöl
1 Karotte, in Stifte geschnitten
1 EL frisch geriebener Ingwer
3 Frühlingszwiebeln, in dünne Streifen geschnitten
1 rote Paprika, in Streifen geschnitten
225 g Bambussprossen, abgetropft

TIPP

Für mehr Schärfe der Suppe in Schritt 5 eine gehackte Chilischote oder 1 Teelöffel Chili-pulver zugeben.

1 Hühnerbrühe, Kartoffeln und 1 Esslöffel Reisweinessig in einen Topf geben und aufkochen. Die Hitze reduzieren, bis die Brühe leicht köchelt.

2 Die Speisestärke mit dem Wasser verrühren und in die heiße Brühe geben.

3 Die Brühe wieder aufkochen und unter Rühren so lange kochen, bis sie eindickt. Dann die Hitze reduzieren, bis die Brühe leicht köchelt.

4

4 Das Fleisch in eine flache Schale geben und mit dem restlichen Reisweinessig, Sojasauce und Sesamöl übergießen.

5 Fleisch, Karotte und Ingwer in die Brühe geben und 10 Minuten köcheln lassen. Frühlingszwiebeln, rote Paprika und Bambussprossen zugeben und weitere 5 Minuten köcheln lassen. In vorgewärmte Suppenschalen geben und sofort servieren.

5

5

Schweinefleisch-Chili-Suppe

Für 3 Personen

2 TL Olivenöl
500 g Schweinehack
Salz und Pfeffer
1 Zwiebel, fein gehackt
1 Selleriestange, klein gewürfelt
1 rote Paprika, klein gewürfelt
2–3 Knoblauchzehen, fein gehackt
3 EL Tomatenmark
400 g Tomaten aus der Dose mit Saft, gewürfelt
450 ml Hühner- oder Fleischbrühe
⅛ TL gemahlener Koriander
⅛ TL gemahlener Kreuzkümmel
¼ TL getrockneter Oregano
1 TL mildes Chilipulver, nach Belieben
Koriander oder Petersilie, frisch gehackt, zum Garnieren
saure Sahne, zum Servieren

TIPP

Etwas festlicher wird die Suppe mit zusätzlichen Beilagen wie Reibekäse, Cocktailkrabben oder Guacamole angerichtet.

1 Das Öl bei mittlerer Hitze in einem großen Topf erwärmen. Das Hackfleisch zugeben, mit Salz und Pfeffer abschmecken und unter ständigem Rühren leicht anbräunen. Die Hitze reduzieren. Zwiebel, Sellerie, Paprika und Knoblauch zugeben und abgedeckt 5 Minuten dünsten, bis die Zwiebel glasig wird.

2 Tomatenmark, Tomaten und Brühe zufügen. Die Gewürze zugeben und gut unterrühren.

3 Kurz aufkochen. Die Hitze reduzieren und die Suppe abgedeckt 30–40 Minuten köcheln lassen, bis das Gemüse weich ist. Gelegentlich umrühren. Die Suppe kann mit Chilipulver schärfer abgeschmeckt werden.

4 Suppe auf vorgewärmte Teller geben, mit Koriander oder Petersilie bestreuen und servieren. Jede Portion mit einem Schlag saure Sahne oder Crème fraîche garnieren.

1

2

2

Pikante Lammsuppe mit Kichererbsen

Für 4–5 Personen

1–2 EL Olivenöl
450 g Lammfleisch ohne Knochen (z. B. Schulter oder Nacken), in 1 cm große Würfel geschnitten
1 Zwiebel, fein gehackt
2–3 Knoblauchzehen, zerdrückt
1,2 l Wasser
400 g Tomaten aus der Dose, zerkleinert
1 Lorbeerblatt
½ TL getrockneter Thymian
½ TL getrockneter Oregano
⅛ TL Zimt
¼ TL gemahlener Kreuzkümmel
¼ TL gemahlene Kurkuma
1 TL Harissa-Paste (nach Belieben)
400 g Kichererbsen aus der Dose, abgespült und abgetropft
1 Karotte, gewürfelt
1 Kartoffel, gewürfelt
1 Zucchini, längs geviertelt und in Scheiben geschnitten
100 g Erbsen, Tiefkühlware aufgetaut
frisch gehackte Minze- oder Korianderblätter, zum Garnieren

1 Das Öl bei mittlerer Hitze in einem großen Topf erwärmen. Das Lammfleisch portionsweise unter Rühren von allen Seiten anbraten. Bei Bedarf mehr Öl zufügen. Das angebratene Fleisch mit einem Schaumlöffel aus dem Topf heben.

2 Die Hitze reduzieren, Zwiebel und Knoblauch in den Topf geben und etwa 1–2 Minuten unter Rühren weich dünsten.

3 Das Wasser zugießen und das gesamte Fleisch in den Topf geben. Kurz aufkochen, dabei den Schaum abschöpfen. Die Hitze reduzieren. Tomaten und alle Gewürze zugeben. Etwa 1 Stunde köcheln lassen, bis das Fleisch sehr weich ist. Gelegentlich umrühren. Das Lorbeerblatt entfernen.

4 Kichererbsen, Karotte und Kartoffel zugeben. Weitere 15 Minuten köcheln lassen. Zucchini und Erbsen zufügen und weitere 15–20 Minuten garen, bis das Gemüse zart ist.

5 Nach Wunsch mit etwas mehr Harissa abschmecken. Auf vorgewärmte Teller füllen und mit Minze oder Koriander garniert servieren.

1

4

Deftiges Rindergulasch

Für 4 Personen

1 EL Öl
15 g Butter
250 g Perlzwiebeln, halbiert
600 g Rinderschmorbraten, in 4 cm dicke Würfel geschnitten
300 ml Rinderbrühe
150 ml Rotwein
4 EL frisch gehackter Oregano
1 EL Zucker
1 Orange
25 g getrocknete Steinpilze
250 g Eiertomaten
gekochter Reis oder Salzkartoffeln, zum Servieren

VARIATION

Verwenden Sie statt der frischen Tomaten einmal sonnengetrocknete Tomatenstreifen.

1 Backofen auf 180 °C vorheizen. Öl und Butter in einer Pfanne erhitzen. Die Zwiebeln zugeben und 5 Minuten goldbraun dünsten. Dann mit einem Schaumlöffel aus der Pfanne nehmen und warm stellen.

2 Das Fleisch in die Pfanne geben und unter Rühren 5 Minuten von allen Seiten kräftig anbraten.

2

3 Die Zwiebeln zurück in die Pfanne geben. Dann Brühe, Wein, Oregano und Zucker zufügen, gut unterrühren und die Mischung in einen Bräter geben.

3

4 Die Orangenschale dünn abschälen und in Streifen schneiden. Das Fruchtfleisch in Scheiben schneiden. Alles mit dem Fleisch vermengen und 75 Minuten im Ofen garen.

4

5 Die getrockneten Pilze 30 Minuten in 4 Esslöffeln warmem Wasser einweichen.

6 Die Tomaten abziehen, halbieren und mit den Pilzen und ihrer Einweichflüssigkeit unter die Fleischmischung rühren. Das Fleisch weitere 20 Minuten im Backofen garen, bis es weich geworden und die Sauce eingedickt ist.

7 Das fertige Gulasch auf vorgewärmte Servierteller verteilen und mit Reis oder Kartoffeln servieren.

Rindercurry mit Orangen

Für 4 Personen

1 EL Öl
220 g Schalotten, halbiert
2 Knoblauchzehen, zerdrückt
450 g Rindfleisch (Rumpsteak oder Hüfte), gewürfelt
3 EL Currypaste
450 ml Rinderbrühe
4 Orangen
2 EL Speisestärke
Salz und Pfeffer
2 EL frisch gehackter Koriander, zum Garnieren
gekochter Basmati-Reis, als Beilage

RAITA
½ Gurke, fein gewürfelt
3 EL frisch gehackte Minze
150 g Naturjoghurt
Salz und Pfeffer

1 Das Öl in einer Pfanne erhitzen. Schalotten, Knoblauch und Fleischwürfel 5 Minuten unter gelegentlichem Rühren anbraten, bis das Fleisch rundum gebräunt ist.

2 Currypaste und Rinderbrühe mischen und zum Fleisch geben. Aufkochen und abgedeckt 1 Stunde köcheln lassen.

3 Unterdessen die Schale einer Orange abreiben. Diese Frucht und eine weitere Orange auspressen. Die anderen beiden Orangen schälen, dabei möglichst viel von der weißen Haut entfernen und die Früchte filetieren.

4 Speisestärke und Orangensaft verrühren. Am Ende der Garzeit die Orangenschale zugeben. Die Stärkemischung einrühren und aufkochen. Alles 3–4 Minuten unter Rühren köcheln und eindicken lassen. Die Orangenfilets zugeben und das Curry mit Salz und Pfeffer abschmecken.

5 Für das Raita die Gurke mit der Minze vermengen und den Joghurt einrühren. Anschließend mit Salz und Pfeffer abschmecken.

6 Das Rinder-Curry mit dem Koriander garnieren und mit Reis und Raita servieren.

1

3

4

Rindfleisch-Tomaten-Gratin

Für 4 Personen

350 g Rinderhack
1 große Zwiebel, fein gehackt
1 TL Kräuter der Provence
1 EL Mehl
300 ml Rinderbrühe
1 EL Tomatenmark
Salz und Pfeffer
2 große Tomaten, in dünne Scheiben geschnitten
4 Zucchini, in dünne Scheiben geschnitten
4 EL frisch geriebener Parmesan
Brot und Gemüse, zum Servieren

HELLE SAUCE
2 EL Speisestärke
300 ml Magermilch
50 g Ricotta oder Naturjoghurt
1 Eigelb

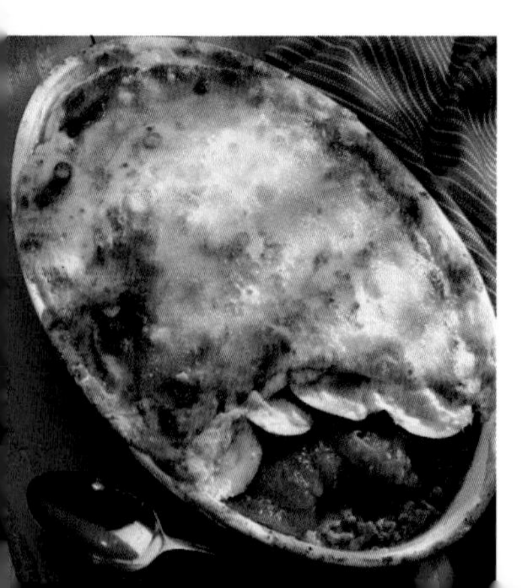

1 Den Backofen auf 190 °C vorheizen. Fleisch mit den Zwiebeln in einem großen Topf 4–5 Minuten bräunen.

2 Kräuter, Mehl, Brühe und Tomatenmark zugeben und mit Salz und Pfeffer würzen. Die Mischung aufkochen und ca. 30 Minuten köcheln lassen, bis sie eindickt.

3 Die Hackfleischmischung in eine Auflaufform geben. Mit einer Schicht Tomaten bedecken, darauf eine Schicht Zucchinischeiben legen. Beiseite stellen.

4 Für die Sauce die Speisestärke mit etwas Milch verrühren. Die restliche Milch in einen Topf gießen und aufkochen. Die angerührte Speisestärke zugeben und unter Rühren 1–2 Minuten kochen und eindicken lassen. Topf vom Herd nehmen und Frischkäse oder Joghurt und das Eigelb einrühren. Kräftig abschmecken.

1

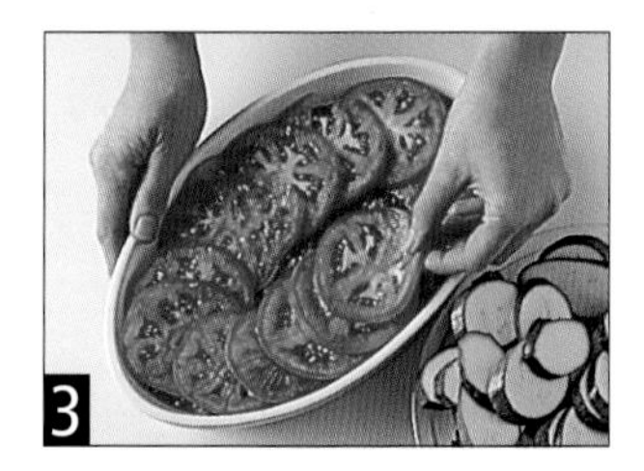
3

5

5 Die Form auf ein Backblech stellen. Die helle Sauce über die Zucchini gießen. Mit geriebenem Parmesan bestreuen und 25–30 Minuten goldbraun im Ofen überbacken. Anschließend sofort mit Brot und Gemüse servieren.

Rindfleisch Michoacán

Für 4–6 Personen

3 EL Mehl
Salz und Pfeffer
1 kg Schmorfleisch vom Rind, in Stücke geschnitten
2 EL Öl
2 Zwiebeln, gehackt
5 Knoblauchzehen, zerdrückt
400 g Tomaten, gewürfelt
1½ getrocknete Chipotle-Chillies (s. Tipp S. 78), eingeweicht, entkernt und in feine Streifen geschnitten
1½ l Rinderbrühe
1 Prise Zucker
350 g grüne Bohnen
ZUM SERVIEREN
warme Kidneybohnen
gekochter Reis

1 Das Mehl in eine große Schüssel sieben und mit Salz und Pfeffer mischen. Das Fleisch zugeben und in der Mehlmischung wenden. Überschüssiges Mehl abschütteln.

TIPP

Dieses Gericht wird traditionell mit Nopales, essbaren Kaktusblättern, zubereitet, die hier zu Lande nur im Fachhandel erhältlich sind. Für dieses Rezept benötigt man etwa 350–400 g eingelegte oder geschälte, in Streifen geschnittene und blanchierte frische Nopales. Sie werden in Schritt 3 zugegeben.

2 Das Öl in einer Pfanne erhitzen und das Fleisch darin kurz, aber scharf anbraten. Dann die Hitze reduzieren, Zwiebeln und Knoblauch zugeben und etwa 2 Minuten mitbraten.

3 Tomaten, Chillies, Brühe und Zucker zufügen, die Pfanne abdecken und das Fleisch bei niedriger Hitze etwa 1½ Stunden garen. Die Fettschicht, die sich währenddessen auf dem Sud bildet, hin und wieder abschöpfen. 15 Minuten vor Ende der Garzeit die grünen Bohnen zugeben.

4 Das fertige Gericht auf Servierschüsseln verteilen und mit Reis und Kidneybohnen servieren.

Rindfleisch in Chili-Joghurt-Sauce

Für 4 Personen

300 ml Öl
3 Zwiebeln, fein gewürfelt
2,5-cm-Stück Ingwer, gerieben
4 Knoblauchzehen, gehackt
2 Zimtstangen
3 grüne Kardamomkapseln
3 Nelken
4 Pfefferkörner
6 getrocknete rote Chillies, gehackt
150 g Naturjoghurt
1 TL Salz
450 g Rindfleisch, gewürfelt
3 grüne Chillies, entkernt, gehackt
600 ml Wasser

VARIATION
Statt Rind eignet sich auch Lammfleisch für dieses Gericht.

1 Das Öl in einer Pfanne erhitzen und die Zwiebeln darin unter Rühren goldbraun braten.

2 Hitze reduzieren und Ingwer, Knoblauch, Zimtstangen, Kardamomkapseln, Nelken, Pfefferkörner und getrocknete Chillies in die Pfanne geben. 5 Minuten anbraten. Den Joghurt mit Salz verquirlen und mit der Zwiebel-Gewürz-Mischung verrühren.

3 Das Fleisch und 2 grüne Chillies zu der Joghurtmischung geben und alles 5–7 Minuten anbraten. Das Wasser langsam unter Rühren zugießen. Die Pfanne abdecken und alles 1 Stunde bei geringer Hitze garen, dabei gelegentlich umrühren und falls nötig mehr Wasser zugießen.

4 Die Pfanne vom Herd nehmen und das Rindfleisch mit der Sauce in eine Schüssel geben. Mit der restlichen grünen Chili garnieren.

Osso buco mit Zitrusschalen

6 Personen

1–2 EL Mehl
Salz und Pfeffer
6 fleischige Scheiben Osso buco (Beinscheibe)
1 kg frische Tomaten, gehäutet entkernt und gewürfelt, oder 800 g Tomaten aus der Dose, gewürfelt
1–2 EL Olivenöl
250 g Zwiebeln, sehr fein gewürfelt
250 g Karotten, fein gewürfelt
200 ml trockener Weißwein
250 ml Rinderbrühe
6 große Basilikumblätter, gezupft
1 große Knoblauchzehe, fein gehackt
abgeriebene Schale von 1 großen Zitrone
abgeriebene Schale von 1 Orange
2 EL frisch gehackte glatte Petersilie

1 Das Mehl in einen Gefrierbeutel geben und mit Salz und Pfeffer mischen. Die Beinscheiben jeweils nacheinander zufügen, den Beutel verschließen und schütteln, bis sie rundum mit Mehl bedeckt sind. Herausnehmen und überschüssiges Mehl abklopfen.

2 Falls Tomaten aus der Dose verwendet werden, diese in ein Sieb gießen und abtropfen lassen.

3 In einem Topf 1 Esslöffel Öl erhitzen. Die Beinscheiben zufügen und von jeder Seite 10 Minuten braun braten. Aus dem Topf nehmen.

4 Falls nötig erneut 1–2 Teelöffel Öl in den Topf geben. Zwiebeln zufügen und unter leichtem Rühren 5 Minuten schmoren. Die Karotten einrühren und weich dünsten.

5 Tomaten, Wein, Brühe, Basilikum und Beinscheiben in den Topf geben. Aufkochen, die Hitze reduzieren und 1 Stunde abgedeckt köcheln lassen. Mit einer Messerspitze testen, ob das Fleisch zart ist. Gegebenenfalls weitere 10 Minuten köcheln lassen und erneut testen.

6 Wenn das Fleisch zart ist, mit Knoblauch, Zitronen- und Orangenschale bestreuen und weitere 10 Minuten kochen.

7 Abschmecken, mit Petersilie bestreuen und servieren.

1

3

5

Chili con carne

Für 4 Personen

750 g Rinderschmorfleisch
2 EL Öl
1 große Zwiebel, in Ringe geschnitten
2–4 Knoblauchzehen, zerdrückt
1 EL Mehl
420 ml Tomatensaft
400 g Tomaten aus der Dose
1–2 EL süße Chilisauce
1 TL gemahlener Kreuzkümmel
420 g Kidneybohnen aus der Dose, abgespült und abgetropft
½ TL getrockneter Oregano
1–2 EL frisch gehackte Petersilie
Salz und Pfeffer
frisch gehackte Petersilie, zum Garnieren
gekochter Reis und Tortillas, zum Servieren

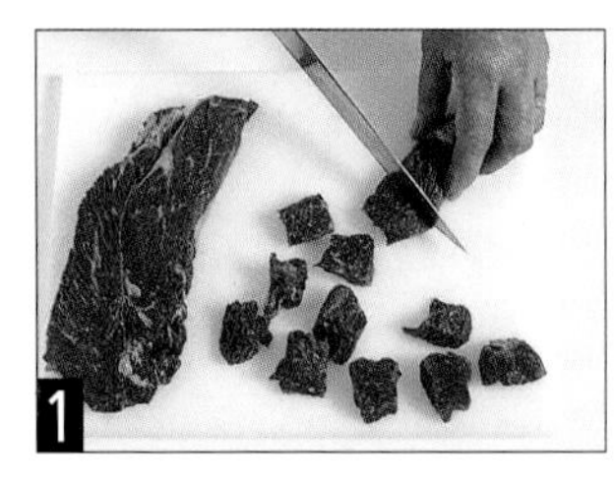

1 Das Fleisch in 2 cm große Würfel schneiden. Öl in einer Kasserolle erhitzen und das Fleisch kurz scharf anbraten.

2 Den Backofen auf 160 °C vorheizen. Zwiebel und Knoblauch in der Kasserolle leicht anbräunen. Das Mehl zugeben und 1–2 Minuten anschwitzen. Mit Tomatensaft ablöschen und aufkochen. Fleisch, Tomaten, Chilisauce und Kreuzkümmel zugeben. Mit Salz und Pfeffer abschmecken. Abgedeckt 1½ Stunden im Backofen schmoren.

3 Bohnen, Oregano und Petersilie untermischen und salzen und pfeffern. Abdecken und im Backofen weitere 45 Minuten schmoren. Mit gehackter Petersilie garnieren und mit gekochtem Reis und Tortillas servieren.

TIPP

Da Chili con carne sehr lange gart, lohnt es sich, die doppelte Menge zuzubereiten und die Hälfte einzufrieren. Tiefgefroren hält es sich 3–4 Wochen.

Polenta mit Kaninchenragout

Für 4 Personen

Butter, zum Einfetten
300 g Polenta- oder Maismehl
1 EL grobes Meersalz
1,2 l Wasser
4 EL Olivenöl
2 kg Kaninchenteile
3 Knoblauchzehen
3 Schalotten, in Ringe geschnitten
150 ml Rotwein
1 Karotte, in Scheiben geschnitten
1 Selleriestange, in Scheiben geschnitten
2 Lorbeerblätter
1 Rosmarinzweig
3 Tomaten, gehäutet und gewürfelt
100 g schwarze Oliven, entsteint
Salz und Pfeffer

1 Den Backofen auf 190 °C vorheizen. Eine Auflaufform einfetten. Polentamehl, Salz und Wasser unter ständigem Rühren in einem Topf erhitzen, aufkochen und 10 Minuten garen. Die Polenta in die Form geben und im Backofen 40 Minuten weitergaren.

2 Unterdessen das Öl in einem Topf erhitzen, Kaninchenteile, Knoblauch und Schalotten zufügen und 10 Minuten goldbraun anbraten.

3 Den Wein unterrühren und weitere 5 Minuten kochen.

4 Dann Karotte, Sellerie, Lorbeerblätter, Rosmarin, Tomaten, Oliven und 300 ml Wasser zufügen, den Topf abdecken und alles 45 Minuten köcheln lassen, bis das Kaninchenfleisch gar ist. Mit Salz und Pfeffer abschmecken.

5 Eine Portion Polenta mit etwas Kaninchenragout auf jeden Servierteller geben und sofort servieren.

2

3

4

Kaninchen mit Fenchel

Für 4 Personen

5 EL Olivenöl
2 große Fenchelknollen, in Scheiben geschnitten
2 Karotten, gewürfelt
1 große Knoblauchzehe, zerdrückt
1 EL Fenchelsamen
ca. 4 EL Mehl
Salz und Pfeffer
2 Wildkaninchen, in Stücken
225 ml trockener Weißwein
225 ml Wasser
1 Bouquet garni (aus 2 Petersilienzweigen, 1 Rosmarinzweig, 1 Lorbeerblatt, festgebunden an einem 7,5-cm-Stück Sellerie)
Weißbrot, zum Servieren

GARNIERUNG
frische glatte Petersilie oder fein gehackter frischer Koriander
frische Rosmarinzweige

1 2 Esslöffel Olivenöl bei mittlerer Hitze in einem großen Topf erwärmen. Fenchel und Karotten zufügen und unter gelegentlichem Rühren 5 Minuten dünsten. Knoblauch und Fenchelsamen zugeben und weitere 2 Minuten dünsten, bis der Fenchel weich wird. Fenchel und Karotten herausnehmen und beiseite stellen.

2 Das Mehl in einen Gefrierbeutel geben, salzen und pfeffern. Je 2 Fleischstücke hineingeben, Beutel verschließen und schütteln, bis das Fleisch mit Mehl bedeckt ist. Eventuell mehr Mehl zugeben.

3 Das restliche Öl in den Topf geben. Die Kaninchenstücke portionsweise jeweils 5 Minuten von allen Seiten goldbraun braten. Herausnehmen und beiseite stellen.

4 Den Wein in den Topf geben und durch Rühren den Bodensatz lösen. Fleisch und Gemüse wieder zugeben, das Wasser zugießen. Das Bouquet garni zugeben und die Mischung abschmecken.

5 Aufkochen, die Hitze reduzieren und dann abgedeckt ca. 1¼ Stunden köcheln lassen, bis das Fleisch zart ist.

6 Das Bouquet garni entfernen. Das Fleisch mit Kräutern garnieren und aus dem Topf servieren. Viel Weißbrot zum Tunken dazu reichen.

1

Rustikales Zwiebelfleisch

Für 4 Personen

2 große Eisbeine
2 große Knoblauchzehen, in Scheiben geschnitten
3 EL Olivenöl
2 Karotten, fein gehackt
2 Selleriestangen, fein gehackt
1 große Zwiebel, fein gehackt
2 frische Thymianzweige, zerkleinert
2 frische Rosmarinzweige, zerkleinert
1 großes Lorbeerblatt
225 ml trockener Weißwein
225 ml Wasser
Salz und Pfeffer
20 Perlzwiebeln
frisch gehackte Petersilie, zum Garnieren

1 Mit einem scharfen Messer das Fleisch mehrfach einkerben und mit dem Knoblauch spicken.

2 1 Esslöffel Olivenöl in einer Kasserolle erhitzen. Karotten, Sellerie und Zwiebel zufügen und unter gelegentlichem Rühren 10 Minuten braten.

3 Die Eisbeine auf das Gemüse legen, Thymian und Rosmarin darüber verteilen. Lorbeerblatt, Wein und Wasser zufügen und mit Pfeffer abschmecken.

4 Aufkochen und vom Herd nehmen. Den Deckel fest auflegen und das Fleisch im vorgeheizten Ofen bei 160 °C 3½ Stunden schmoren.

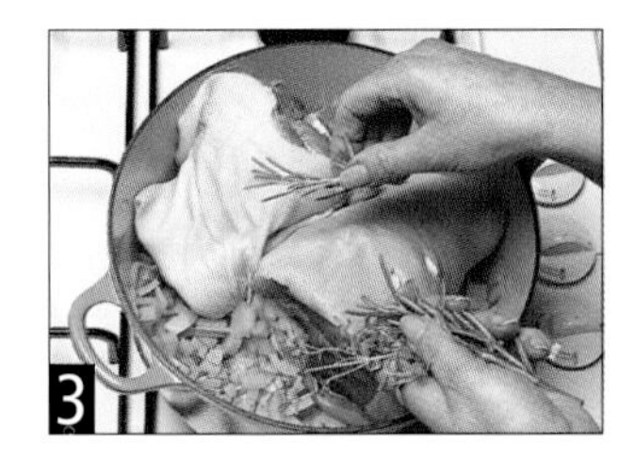

5 In der Zwischenzeit die Perlzwiebeln in eine Schüssel geben und mit kochendem Wasser übergießen. 1 Minute stehen lassen. Abgießen und die Schalen abziehen. Das restliche Öl in einer großen Pfanne erhitzen und die Zwiebeln halb abgedeckt 15 Minuten bei schwacher Hitze dünsten. Dabei ab und zu die Pfanne schwenken.

6 Wenn das Fleisch gar ist, die Zwiebeln zufügen und die Mischung weitere 15 Minuten schmoren. Fleisch und Zwiebeln aus dem Topf nehmen und warm stellen.

7 Mit einem Metalllöffel so viel Fett wie möglich von der Oberfläche des Kochsuds abschöpfen. Dann den Kochsud durch ein Sieb in eine Schüssel gießen und das abgetropfte Gemüse beiseite stellen. Abschmecken.

8 Das Fleisch von den Knochen lösen und auf einem Teller mit den Zwiebeln und dem Gemüse anrichten. Den Kochsud zugießen und alles mit Petersilie garnieren.

Rindfleisch mit Joghurtsauce

Für 4 Personen

450 g Rindfleisch, in 2,5-cm-Scheiben geschnitten
5 EL Naturjoghurt
1 TL frischer, fein gehackter Ingwer
1 große Knoblauchzehe, zerdrückt
1 TL Chilipulver
1 Prise gemahlene Kurkuma
2 TL Garam masala
1 TL Salz
2 Kardamomkapseln
1 TL Kreuzkümmelsamen
50 g gemahlene Mandeln
1 EL Kokosraspel
1 El Mohnsamen
1 EL Sesamsaat
300 ml Öl
2 Zwiebeln, fein gehackt
300 ml Wasser
frisch gehackte Korianderblätter und rote Chillies, in Streifen geschnitten, zum Garnieren

1 Das Fleisch in eine große Schüssel geben, mit Joghurt, Ingwer, Knoblauch, Chilipulver, Kurkuma, Garam masala, Salz, Kardamomkapseln und Kreuzkümmelsamen vermengen und bis zur Verwendung beiseite stellen.

2 Mandeln, Kokosraspel, Mohnsamen und Sesamsaat in einer Pfanne ohne Fett rösten, dabei die Pfanne schwenken, damit die Gewürze nicht anbrennen.

3 Die Gewürzmischung in der Küchenmaschine zerkleinern. Wieder in die Pfanne geben und mit 1 Esslöffel Wasser verrühren. Zum Fleisch geben und gut vermengen.

4 Ein wenig Öl in einem großen Topf erhitzen. Die Zwiebeln darin goldbraun braten und aus dem Topf nehmen. Das Fleisch im restlichen Öl ca. 5 Minuten anbraten, die Zwiebeln wieder in den Topf geben und weitere 5–7 Minuten braten. Wasser zugießen und 25–30 Minuten bei geringer Hitze abgedeckt garen, dabei gelegentlich umrühren. Mit Korianderblättern und Chilistreifen garnieren und heiß servieren.

1

2

3

Erdnussfleisch mit Kartoffeln

Für 4 Personen

1 EL Öl

60 g Butter

450 g Rindersteak, in dünne Streifen geschnitten

1 Zwiebel, halbiert und in Ringen

2 Knoblauchzehen, zerdrückt

2 große fest kochende Kartoffeln, gewürfelt

½ TL Paprikapulver

4 EL Erdnussbutter mit Stückchen

600 ml Rinderbrühe

25 g ungesalzene Erdnüsse

2 TL helle Sojasauce

50 g Zuckererbsen

1 rote Paprika, in Streifen geschnitten

Petersilienzweige, zum Garnieren (nach Belieben)

1 Öl und Butter in einem großen Topf erhitzen.

2 Das Fleisch zufügen und bei schwacher Hitze unter ständigem Rühren 3–4 Minuten scharf anbraten.

3 Zwiebel und Knoblauch zufügen und 2 Minuten weiterbraten.

4 Die Kartoffeln zugeben und weitere 3–4 Minuten braten, bis sie leicht anbräunen.

5 Das Paprikapulver und die Erdnussbutter zugeben und nach und nach die Rinderbrühe einrühren. Die Mischung unter ständigem Rühren kurz aufkochen.

6 Erdnüsse, Sojasauce, Zuckererbsen und Paprika zufügen.

7 Abgedeckt bei schwacher Hitze 45 Minuten köcheln lassen, bis das Fleisch gar ist. Nach Geschmack mit Petersilie garniert servieren.

Schweinefilet Stroganoff

Für 4 Personen

350 g Schweinefilet
1 EL Pflanzenöl
1 Zwiebel, gehackt
2 Knoblauchzehen, zerdrückt
25 g Mehl
2 EL Tomatenmark
425 ml frische Hühner- oder Gemüsebrühe
125 g kleine Champignons, in Scheiben geschnitten
1 große grüne Paprika, in Stücken
Salz und Pfeffer
½ TL frisch geriebene Muskatnuss
4 EL Naturjoghurt, plus etwas mehr zum Garnieren
gekochter Reis, als Beilage
frisch gehackte Petersilie, zum Garnieren

1 Das Fleisch von Fett und Sehnen befreien, dann in 1 cm dicke Scheiben schneiden.

2 Das Öl in einer großen Pfanne erhitzen. Fleisch, Zwiebel und Knoblauch darin 4–5 Minuten hellbraun anbraten.

3 Mehl und Tomatenmark einrühren, dann die Brühe zugießen und alles gründlich umrühren.

TIPP

Instant-Brühwürfel sind preiswert erhältlich, enthalten aber zu viel Salz und meist künstliche Geschmacksverstärker. Deshalb sollte möglichst frisch gekochte Brühe verwendet werden.

4 Pilze, Paprika und Gewürze zugeben. Geschnetzeltes aufkochen und abgedeckt 20 Minuten garen. Die Pfanne vom Herd nehmen und den Joghurt unterrühren.

5 Den Reis mit Petersilie bestreuen. Einen Löffel Joghurt auf das Fleisch geben und anschließend mit ein wenig Muskatnuss bestäuben, dann servieren.

Italienische Würstchen mit Bohnen

Für 4 Personen

1 grüne Paprika
8 Cabanossi
1 EL Olivenöl
1 große Zwiebel, gehackt
2 Knoblauchzehen, zerdrückt
225 g frische Tomaten, enthäutet und gewürfelt, oder 400 g Tomaten aus der Dose, gewürfelt
2 EL Pesto rosso
400 g Cannellini-Bohnen
Kartoffelpüree oder Reis, zum Servieren

TIPP

Cabanossi sind italienische Würstchen, die sehr würzig schmecken. Sie werden im Delikatessen-Fachhandel oder in gut sortierten Supermärkten angeboten. Alternativ eignen sich auch Krakauer oder Geflügelwürstchen.

1 Paprika von Samen und Strängen befreien und in lange Streifen schneiden.

2 Die Würstchen von allen Seiten mit einer Gabel einstechen. Dann unter einen vorgeheizten Grill geben und 10–12 Minuten von allen Seiten goldbraun rösten; dabei gelegentlich wenden. Anschließend beiseite stellen und warm halten.

3 Das Öl in einer großen Pfanne erhitzen. Zwiebel, Knoblauch und Paprika darin 5 Minuten unter gelegentlichem Rühren weich dünsten.

4 Die Tomaten zugeben und die Sauce 5 Minuten einkochen lassen. Dabei gelegentlich umrühren.

5 Pesto und Bohnen einrühren und 4–5 Minuten in der Sauce kochen. Falls die Sauce zu dickflüssig wird, 4–5 Esslöffel Wasser zugeben.

6 Die Würstchen und das Gemüse in eine Servierschüssel geben und wahlweise mit Kartoffelpüree oder Reis servieren.

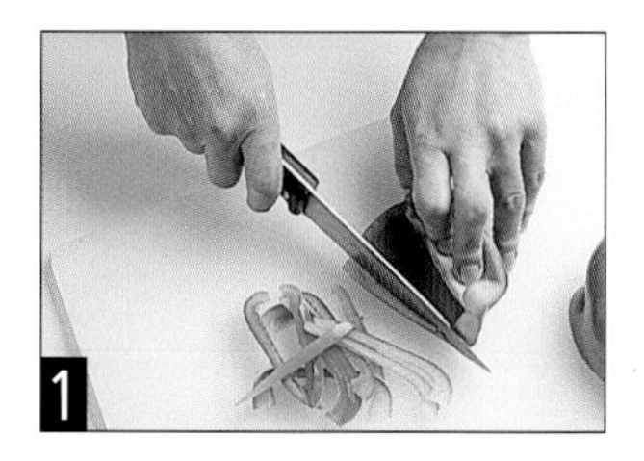
1

3

4

Tomaten-Lammfleisch-Khorma

Für 2–4 Personen

1 TL Garam masala
1 TL frischer, fein gehackter Ingwer
1 große Knoblauchzehe, zerdrückt
2 Kardamomkapseln
1 TL Chilipulver
½ TL Kreuzkümmelsamen
2 Zimtstangen, je 2,5 cm lang
1 TL Salz
150 g Naturjoghurt
500 g Lammfleisch, gewürfelt
150 ml Öl
2 Zwiebeln, in Ringe geschnitten
600 ml Wasser
2 feste Tomaten, geviertelt
2 EL Zitronensaft
1 grüne Chili, gehackt, zum Garnieren

1 Garam masala, Ingwer, Knoblauch, Kardamom, Chilipulver, Kreuzkümmel, Zimtstangen, Salz und Joghurt in einer Schüssel gut miteinander verrühren.

2 Das Fleisch zur Joghurt-Mischung geben und alles gut vermengen. Beiseite stellen. Das Öl in einem großen Topf erhitzen und die Zwiebeln darin goldbraun braten.

3 Das Fleisch zugeben, 5 Minuten anbraten. Hitze reduzieren, mit dem Wasser ablöschen und abgedeckt 1 Stunde garen, gelegentlich umrühren.

4 Die Tomaten zugeben und mit dem Zitronensaft beträufeln. Alles weitere 7–10 Minuten garen.

5 Mit Chili garnieren und heiß servieren.

Rindfleisch-Khorma mit Mandeln

Für 4 Personen

300 ml Öl
3 Zwiebeln, fein gehackt
1 kg Rindfleisch, gewürfelt
1 TL Salz
1½ TL Garam masala
1½ TL gemahlener Koriander
1½ TL frischer, fein gehackter Ingwer
2 Knoblauchzehen, zerdrückt
150 g Naturjoghurt
2 Nelken
3 grüne Kardamomkapseln
4 schwarze Pfefferkörner
600 ml Wasser
GARNIERUNG
gehackte Mandeln
2 grüne Chillies, gehackt
frische Korianderblätter

1 Das Öl in einer Pfanne erhitzen. Die Zwiebeln zugeben und goldbraun anbraten. Die Hälfte der Zwiebeln herausnehmen und beiseite stellen.

2 Das Fleisch zufügen und 5 Minuten anbraten. Dann den Topf vom Herd nehmen.

3 Salz, Garam masala, gemahlenen Koriander, Ingwer, Knoblauch und Joghurt in einer Schüssel verrühren. Nach und nach das Fleisch zugeben und gut vermengen. Alles wieder in den Topf zurückgeben, auf den Herd stellen und weitere 5–7 Minuten goldbraun braten.

4 Nelken, Kardamom und Pfeffer zugeben. Wasser aufgießen, Hitze reduzieren und abgedeckt 45–60 Minuten köcheln lassen. Wenn das Fleisch dann nicht weich ist, 300 ml Wasser zugeben und weitere 10–15 rühren.

5 Kurz vor dem Servieren das Khorma mit den restlichen Zwiebeln, Mandeln, Chillies und Korianderblättern bestreuen. Mit Chapati-Brot servieren.

Provenzalischer Schmortopf

Für 4–6 Personen

700 g Gulaschfleisch vom Rind, in 5 cm große Würfel geschnitten
400 ml kräftiger Rotwein
2 EL Olivenöl
4 große Knoblauchzehen, zerdrückt
4 Schalotten, in dünne Ringe geschnitten
5–6 EL Mehl
Salz und Pfeffer
250 g Speckwürfel
250 g braune Champignons, in Scheiben geschnitten
400 g Tomaten aus der Dose, gewürfelt
1 Bouquet garni (1 Lorbeerblatt, 1 Thymianzweig, 1 Selleriestange, je 1 Petersilien- und Salbeizweig, zusammengebunden)
5-cm-Streifen getrocknete Orangenschale
450 ml Rinderbrühe
50 g Sardellenfilets in Öl, aus der Dose
2 EL Kapern, abgetropft
2 EL Rotweinessig
2 EL frisch gehackte Petersilie

1 Fleisch, Wein, Olivenöl und die Hälfte des Knoblauchs in eine Schüssel geben. Abdecken und mindestens 4 Stunden marinieren, ab und zu umrühren.

2 4 Esslöffel Mehl und ca. 2 Esslöffel Wasser zu einer dicken Paste verrühren. Abdecken und beiseite stellen.

3 Backofen auf 160 °C vorheizen. Das Fleisch aus der Marinade nehmen, die Marinade aufbewahren.

4 Das Fleisch trockentupfen. Restliches Mehl salzen und pfeffern und das Fleisch darin wenden.

5 Speckwürfel, Pilze und Tomaten in einem Schmortopf in Schichten auslegen, darauf eine Schicht Fleisch geben. Den Vorgang wiederholen, bis alle Zutaten aufgebraucht sind. Das Bouquet garni und die Orangenschale zwischen die Schichten legen. Rinderbrühe und Marinade zugießen.

5

6 Den Mehl-Wasser-Brei auf den Rand des Schmortopfes auftragen, den Deckel darauf drücken, so dass der Topf versiegelt ist. Den Schmortopf im Backofen etwa 2½ Stunden schmoren.

7

7 Die Sardellen abtropfen lassen, mit Kapern und dem restlichen Knoblauch im Mörser zerkleinern. Den Topf aus dem Ofen nehmen, Sardellen, Essig und Petersilie einrühren, wieder verschließen und die Mischung weitere 1–1½ Stunden schmoren. Mit Salz und Pfeffer abschmecken und servieren.

Feuriger Lammtopf

Für 6–8 Personen

175 ml Öl
1 kg Lammkeule, in große Stücke geschnitten
1 EL Garam masala
5 Zwiebeln, gehackt
150 g Naturjoghurt
2 EL Tomatenmark
1½ TL Salz
3 Knoblauchzehen, zerdrückt
2 TL frischer, fein gehackter Ingwer
2 TL Chilipulver
1 EL gemahlener Koriander
2 TL geriebene Muskatnuss
900 ml Wasser
1 EL gemahlene Fenchelsamen
1 EL Paprikapulver
1 EL Kichererbsenmehl
3 Lorbeerblätter
1 EL Mehl
Naan- oder Parata-Brot, als Beilage
GARNIERUNG
2–3 grüne Chillies, gehackt
frische Korianderblätter, klein gezupft

1 Das Öl in einer Pfanne erhitzen und das Fleisch sowie die Hälfte des Garam masala zugeben. 7–10 Minuten anbraten. Das Fleisch herausnehmen und beiseite stellen.

2 Die Zwiebeln in der Pfanne goldbraun braten. Das Fleisch wieder zugeben, bei schwacher Hitze garen, dabei gelegentlich umrühren.

3 Joghurt, Tomatenmark, Salz, Knoblauch, Ingwer, Chilipulver, Koriander, Muskat und das restliche Garam masala vermengen und über dem Fleisch verteilen. Unter Rühren 5–7 Minuten anbraten.

4 Die Hälfte des Wassers, Fenchel, Paprika und Kichererbsenmehl zugeben und verrühren. Das restliche Wasser mit Lorbeerblättern zufügen, Hitze reduzieren und die Mischung abgedeckt 1 Stunde köcheln lassen.

5 Das Mehl mit 2 Esslöffeln warmem Wasser verrühren und über das Curry gießen. Köcheln lassen, bis das Fleisch zart und die Sauce eingedickt ist. Mit Chillies und Koriander garnieren und mit Parata- oder Naan-Brot servieren.

1

3

4

Schweinefleisch mit Backpflaumen

Für 4–6 Personen

Saft von 2–3 Limetten
10 Knoblauchzehen, gehackt
3–4 EL mildes Chilipulver
4 EL Öl
Salz
1½ kg Schweinebraten, z. B. aus Keule oder Schulter
2 Zwiebeln, gehackt
500 ml Hühnerbrühe
25 Cocktailtomaten, grob gewürfelt
25 Backpflaumen, entsteint
1–2 TL Zucker
1 Prise Zimt
1 Prise Piment
1 Prise gemahlener Kreuzkümmel
Maismehl-Tortillas, erwärmt, zum Servieren

1 Limettensaft, Knoblauch, Chilipulver sowie 2 Esslöffel Öl mit Salz nach Geschmack vermengen. Das Fleisch mit der Marinade einreiben und im Kühlschrank über Nacht kalt stellen.

2 Backofen auf 180 °C vorheizen. Das marinierte Fleisch mit Küchenpapier trockentupfen. Die übrig gebliebene Marinade beiseite stellen. Das restliche Öl in einem Bräter erhitzen und das Fleisch darin gleichmäßig von allen Seiten goldbraun anbraten. Zwiebeln, zurückbehaltene Marinade und Brühe zugeben. Den Bräter abdecken und das Fleisch im Ofen 2–3 Stunden weich garen.

3 Die Fettschicht, die sich auf dem Sud gebildet hat, abschöpfen. Die Tomaten zugeben und weitere 20 Minuten garen. Dann die Tomaten mit einer Gabel zerkleinern, Pflaumen und Zucker zugeben und die Sauce mit Zimt, Piment, Kreuzkümmel und nach Belieben etwas zusätzlichem Chilipulver würzen.

4 Temperatur auf 200 °C erhöhen und das Fleisch weitere 20–30 Minuten garen, bis es gebräunt und die Sauce eingedickt ist.

5 Das Fleisch aus dem Bräter nehmen und kurz abkühlen lassen. In dünne Scheiben schneiden, auf einem Servierteller anrichten, mit der Sauce übergießen und mit Tortillas servieren.

Baskischer Bohnentopf

Für 4–6 Personen

200 g getrocknete Cannellini-Bohnen, über Nacht eingeweicht
1–2 EL Olivenöl
600 g Schweinshaxe, ohne Knochen, in 5-cm-Würfel geschnitten
1 große Zwiebel, in Ringe geschnitten
3 große Knoblauchzehen, zerdrückt
400 g Tomaten aus der Dose, gewürfelt
2 grüne Paprika, in Streifen geschnitten
abgeriebene Schale von 1 Orange
Salz und Pfeffer
frisch gehackte Petersilie, zum Garnieren

1 Die Bohnen abgießen, in einen großen Topf geben und mit frischem Wasser bedecken. Aufkochen und 10 Minuten sprudelnd kochen. Die Hitze reduzieren und 20 Minuten köcheln lassen. Bohnen abgießen und beiseite stellen.

2 Eine Pfanne dünn mit Olivenöl ausgießen. Das Öl bei mittlerer Hitze erwärmen und das Fleisch portionsweise von allen Seiten anbraten, dann beiseite stellen.

3 Bei Bedarf noch etwas Olivenöl zufügen und die Zwiebel 3 Minuten darin dünsten. Knoblauch unterrühren und weitere 2 Minuten dünsten. Das Fleisch wieder in die Pfanne geben.

4 Die Tomaten zugießen und aufkochen. Die Hitze reduzieren, Paprika, Orangenschale und abgetropfte Bohnen zugeben, mit Salz und Pfeffer abschmecken.

5 Alles in eine Kasserolle umfüllen. Die Kasserolle abdecken und im vorgeheizten Ofen bei 180 °C 45 Minuten schmoren, bis die Bohnen und das Fleisch schön zart sind. Mit Petersilie garnieren und servieren.

2

3

4

Herzhafter Lammauflauf

Für 4 Personen

8 Lammkoteletts oder anderes Schmorfleisch vom Lamm, mit Knochen
Salz und Pfeffer
1–2 Knoblauchzehen, zerdrückt
2 Lammnieren (nach Belieben)
1 große Zwiebel, in Ringe geschnitten
1 Porreestange, in Ringe geschnitten
2–3 Karotten, in Scheiben geschnitten
1 TL frischer oder ½ TL getrockneter Estragon oder Salbei
1 kg Kartoffeln, in dünne Scheiben geschnitten
300 ml Brühe
2 EL zerlassene Butter oder 1 EL Öl
frisch gehackte Petersilie, zum Garnieren

1 Das Fleisch vom Fett befreien, kräftig mit Salz und Pfeffer bestreuen, in eine große Auflaufform mit Deckel legen und den Knoblauch auf dem Fleisch verteilen.

2 Die Nieren häuten, halbieren, in kleine Stücke schneiden und auf dem Lammfleisch verteilen.

3 Das Gemüse auf das Fleisch geben und mit Estragon oder Salbei bestreuen.

4 Die Kartoffelscheiben auf das Gemüse schichten.

5 Den Backofen auf 180 °C vorheizen. Die Brühe aufkochen, mit Salz und Pfeffer abschmecken und über die Kartoffeln gießen.

6 Die Kartoffeln mit der Butter oder dem Öl einpinseln und die Mischung abgedeckt 1½ Stunden im Backofen garen.

7 Den Deckel der Form abnehmen, den Backofen auf 220 °C stellen und den Lammauflauf noch etwa 30 Minuten backen, bis die Kartoffeln knusprig braun sind.

8 Den Auflauf mit der frisch gehackten Petersilie bestreuen und sofort servieren.

1

3

5

Zwiebel-Mango-Lamm

Für 4 Personen

4 Zwiebeln
300 ml Öl
1 TL frisch geriebener Ingwer
2 Knoblauchzehen, zerdrückt
1 TL Chilipulver
1 Prise gemahlene Kurkuma
1 TL Salz
3 grüne Chillies, gehackt
450 g Lammfleisch (Keule), gewürfelt
600 ml Wasser
1½ TL Aamchoor (Mangopulver)
1 kleines Bund frischer Koriander, gehackt
gekochter Reis, zum Servieren

1 3 Zwiebeln mit einem scharfen Messer fein hacken.

2 150 ml Öl in einer großen Pfanne erhitzen und die Zwiebeln darin goldbraun braten. Hitze reduzieren und Ingwer, Knoblauch, Chilipulver, Kurkuma sowie Salz in die Pfanne geben. Die Gewürzmischung ca. 5 Minuten unter Rühren anbraten, dann 2 Chillies zufügen.

3 Fleisch in die Pfanne geben und unter Rühren 7 Minuten braten.

TIPP

Mangopulver Aamchoor schmeckt angenehm säuerlich. Es ist im Glas erhältlich.

4 Mit Wasser ablöschen und alles 35–45 Minuten abgedeckt köcheln lassen, gelegentlich umrühren.

5 Unterdessen die übrige Zwiebel in Ringe schneiden. Das restliche Öl in einer Pfanne erhitzen und die Zwiebelringe darin goldbraun braten. Beiseite stellen.

6 Wenn das Fleisch gar ist, das Mangopulver (Aamchoor) und die letzte grüne Chili sowie den Koriander zugeben und alles 3–5 Minuten weiterrühren.

7 Das Lamm-Curry auf einer Servierplatte anrichten und die Zwiebelringe mit dem Öl darüber verteilen. Sofort mit Reis servieren.

2

2

3

Rotes Schweinefleischcurry

Für 4–6 Personen

900 g Schweineschulter, in dünne Scheiben geschnitten
700 ml Kokosmilch
2 rote Chillies, in dünnen Scheiben
2 EL thailändische Fischsauce
2 TL brauner Zucker
1 große rote Paprika, in dünne Streifen geschnitten
6 Kaffir-Limettenblätter
½ Bund frische Minze, gehackt
½ Bund Thai-Basilikum, gehackt
Jasminreis oder Thai-Duftreis, nach Packungsanweisung gegart

ROTE CURRYPASTE
1 EL Koriandersamen
2 TL Kreuzkümmelsamen
2 TL weiße Pfefferkörner
1 TL Salz
5–8 getrocknete rote Chillies
3–4 Schalotten, gehackt
6–8 Knoblauchzehen
5-cm-Stück Galgant oder Ingwer, geschält und grob gehackt
2 TL Kaffir-Limettenschale oder 2 Kaffir-Limettenblätter, gehackt
1 EL Chilipulver
1 EL Krabbenpaste
2 Zweige Zitronengras, in Scheiben

1 Für die Currypaste Koriandersamen, Kreuzkümmel, Pfefferkörner und Salz im Mörser fein zerreiben. Die Chillies einzeln zugeben und zerkleinern.

2 Schalotten, Knoblauch, Galgant oder Ingwer, Kaffir-Limettenschale, Chilipulver und Krabbenpaste etwa 1 Minute im Mixer verarbeiten. Die zerstoßenen Gewürze zugeben und noch einmal mixen. Alles in eine Schüssel geben und das Zitronengras einrühren.

3 Die Hälfte der Currypaste mit dem Schweinefleisch in einen großen Topf geben. Bei mittlerer Hitze 2–3 Minuten erhitzen, bis das Fleisch gut mit der Paste umhüllt und gebräunt ist.

3

4 Die Kokosmilch zugießen und aufkochen. Unter Rühren 10 Minuten köcheln lassen. Hitze reduzieren. Chillies, thailändische Fischsauce und braunen Zucker einrühren und 20 Minuten köcheln lassen. Rote Paprika zugeben und noch 10 Minuten garen.

4

5 Limettenblätter in Streifen schneiden. Zusammen mit der Hälfte der Minze und des Basilikums unter das Curry rühren. Das Curry in eine Servierschüssel geben und mit Minze und Basilikum bestreuen. Dazu Reis reichen.

Lamm-Biryani

Für 4–6 Personen

150 ml Milch
1 TL Safran
3 Zwiebeln, in Ringe geschnitten
60 g Ghee (oder Butter)
1 kg Lammfleisch, gewürfelt
7 EL Naturjoghurt
1½ TL frischer, fein
gehackter Ingwer
2 Knoblauchzehen, zerdrückt
2 TL Garam masala
2 TL Salz
½ TL gemahlene Kurkuma
600 ml Wasser
450 g Basmatireis
2 TL schwarze Kreuzkümmelsamen
3 Kardamomkapseln
2 grüne Chillies
¼ Bund frischer Koriander, gehackt
4 EL Zitronensaft

1 Die Milch mit dem Safran aufkochen. Beiseite stellen. Die Zwiebeln im erhitzten Ghee anbraten, die Hälfte herausnehmen und beiseite stellen.

2 Fleisch, Joghurt, Ingwer, Knoblauch, Garam masala, 1 Teelöffel Salz und Kurkuma vermengen.

3 Die Fleischmischung zu den Zwiebeln in den Topf geben. Kurz anbraten. Das Wasser zugießen. Bei geringer Hitze 45 Minuten garen. Gelegentlich umrühren. Sollte das Fleisch noch nicht weich sein, noch 150 ml Wasser zugeben. Weitere 15 Minuten garen. Sobald das Wasser verkocht ist, das Fleisch nochmals 2 Minuten anbraten.

4 Den Reis mit Kreuzkümmel, Kardamom und 1 Teelöffel Salz in Wasser kochen, bis der Reis fast gar ist. Das Wasser abgießen. Die Hälfte vom Reis beiseite stellen.

5 Das Fleisch auf den Reis im Topf schichten. Jeweils die Hälfte der Safranmilch, Chillies, des Korianders und Zitronensaftes zugeben. Die beiseite gestellten Zwiebeln, den restlichen Reis und alle anderen Zutaten darüber schichten. Abgedeckt 15–20 Minuten bei geringer Hitze köcheln lassen. Heiß servieren.

1

2

4

Lammfleisch nach Römerart

Für 4 Personen

1 El Öl

15 g Butter

600 g Lammfleisch (aus Schulter oder Keule), in Stücke geschnitten

4 Knoblauchzehen

1 EL frisch gehackter Thymian

6 Sardellen aus der Dose

150 ml Rotwein

150 ml Lamm- oder Gemüsebrühe

1 TL Zucker

50 g schwarze Oliven, entsteint und halbiert

2 EL frisch gehackte Petersilie, zum Garnieren

Kartoffelpüree, zum Servieren

Bandnudeln

TIPP

Rom und die ganze italienische Region Lazio sind für italienische Delikatessen berühmt – dabei sind Gerichte aus dieser Gegend meist eher schlicht und daher auch rasch zubereitet. Sie werden mit vielen aromatischen Kräutern und Gewürzen angereichert.

1 Öl und Butter in einer großen Pfanne erhitzen. Das Lammfleisch zugeben und 4–5 Minuten unter Rühren von allen Seiten kräftig anbraten.

2 Knoblauch, Thymian und Sardellen in einem Mörser zu einer glatten Paste verarbeiten.

3 Den Wein und die Lamm- oder Gemüsebrühe über das Fleisch in die Pfanne gießen und die Knoblauch-Sardellen-Paste sowie den Zucker zugeben.

4 Die Mischung aufkochen lassen. Dann die Hitze reduzieren, die Pfanne abdecken und das Fleisch 30–40 Minuten gar köcheln lassen. Während der letzten 10 Minuten den Deckel von der Pfanne nehmen, damit die Sauce sämig wird.

mit Mehl bestäuben

5 Die Oliven zur Sauce geben und gut unterrühren.

6 Das fertige Gericht in eine Servierschüssel geben, mit Petersilie bestreuen und mit Kartoffelpüree servieren.

Lammcurry

Für 6 Personen

1 kg Lammfleisch, am Knochen oder Filet
150 g Naturjoghurt
75 g Mandeln
2 TL Garam masala
2 TL frischer, fein gehackter Ingwer
2 große Knoblauchzehen, zerdrückt
1½ TL Chilipulver
1½ TL Salz
300 ml Öl
3 Zwiebeln, fein gehackt
4 grüne Kardamomkapseln
2 Lorbeerblätter
3 grüne Chillies, gehackt
2 EL Zitronensaft
480 g Tomaten aus der Dose
250 ml Wasser
1 kleines Bund frischer Koriander, gehackt

1 Das Fleisch mit einem scharfen Messer in gleichmäßig kleine Stücke schneiden.

1

2 Joghurt, Mandeln, Garam masala, Ingwer, Knoblauch, Chilipulver und Salz in einer großen Schüssel gut verrühren.

3 Öl in einem Topf erhitzen und die Zwiebeln mit den Kardamomkapseln und den Lorbeerblättern unter Rühren goldbraun anbraten.

3

4 Fleisch und Joghurtmischung zufügen und alles 3–5 Minuten scharf anbraten.

4

5 2 Chillies, Zitronensaft und Tomaten zugeben und weitere 5 Minuten garen.

6 Wasser zugießen und das Curry abgedeckt 35–40 Minuten bei geringer Hitze köcheln lassen.

7 Restliche Chili und Koriander einrühren. Kochen, bis die Sauce sämig wird. Wenn die Sauce zu wässrig ist, den Deckel abnehmen und die Hitze erhöhen.

8 Das Curry auf einer vorgewärmten Servierplatte anrichten und heiß servieren.

Mexikanischer Fleischeintopf

6–8 Personen

900 g Schweinefleisch ohne Knochen
2 Lorbeerblätter
1 Zwiebel, gehackt
8 Knoblauchzehen, zerdrückt
2 EL frisch gehackter Koriander
1 Karotte, in dünnen Scheiben
2 Selleriestangen, gewürfelt
2 Würfel Hühnerbrühe
½ Huhn, zerteilt
4–5 reife Tomaten, gewürfelt
½ TL mildes Chilipulver
abgeriebene Schale von ¼ Orange
¼ TL gemahlener Kreuzkümmel
Saft von 3 Orangen
1 Zucchini, gewürfelt
¼ Weißkohl, in dünne Streifen geschnitten und blanchiert
1 Apfel, gewürfelt
10 Backpflaumen, entsteint
¼ TL Zimt
1 Prise gemahlener Ingwer
2 Chorizowürstchen (350 g), in Stücke geschnitten
Salz und Pfeffer
gekochter Reis, Tortillas und Salsa, zum Servieren

1 Schweinefleisch, Lorbeerblätter, Zwiebel, Knoblauch, Koriander, Karotte und Sellerie in einen großen Topf geben. Mit kaltem Wasser auffüllen und aufkochen. Dann die Hitze reduzieren, Schaum abschöpfen und alles etwa 1 Stunde köcheln lassen.

2 Brühwürfel, Hühnerfleisch, Tomaten, Chilipulver, Orangenschale und Kreuzkümmel zugeben. Das Ganze weitere 45 Minuten gar kochen. Dann die Fettschicht, die sich auf dem Sud gebildet hat, abschöpfen.

3 Orangensaft, Zucchini, Kohl, Apfel, Pflaumen, Zimt, Ingwer und Chorizo zugeben und weitere 20 Minuten köcheln, bis die Zucchini gar ist.

4 Den fertigen Eintopf mit Salz und Pfeffer abschmecken und sofort mit Reis, Tortillas und Salsa servieren.

1

2

3

Fruchtiger Lammtopf

Für 4 Personen

450 g Lammfleisch, von Fett und Sehnen befreit, in 2,5 cm große Würfel geschnitten
1 TL Zimt
1 TL gemahlener Koriander
1 TL gemahlener Kreuzkümmel
2 TL Olivenöl
1 rote Zwiebel, fein gehackt
1 Knoblauchzehe, zerdrückt
400 g Tomaten aus der Dose, zerkleinert
2 EL Tomatenmark
125 g Trockenaprikosen
1 TL Zucker
300 ml Gemüsebrühe
Salz und Pfeffer
1 Bund frischer Koriander, zum Garnieren
Naturreis, Bulgur oder Couscous, zum Servieren

1 Den Backofen auf 180 °C vorheizen. Das Fleisch in einer Schüssel gründlich mit Gewürzen und Öl einreiben und in eine Schüssel geben.

2 Eine beschichtete Pfanne erhitzen und das Fleisch hineingeben. Die Hitze reduzieren und das Fleisch 4–5 Minuten unter ständigem Rühren rundum bräunen. Mit einem durchbrochenen Pfannenwender das Fleisch herausnehmen und in einen Bräter geben.

3 In der Pfanne anschließend Zwiebel, Knoblauch, Tomaten und Tomatenmark 4 Minuten kochen. Aprikosen und Zucker zufügen. Die Brühe zugießen und aufkochen. Mit Salz und Pfeffer abschmecken.

4 Die Sauce über das Fleisch gießen und alles gut durchrühren. Das Fleisch abdecken und im Backofen eine Stunde garen. Während der letzten 10 Minuten den Deckel abnehmen.

5 Den Koriander grob hacken und über das Gericht streuen. Anschließend mit Naturreis, Couscous oder Bulgur servieren.

1

2

3

Lamm-Spinat-Curry

Für 2–4 Personen

300 ml Öl

2 Zwiebeln, in Ringe geschnitten

¼ Bund frischer Koriander, gehackt, plus etwas mehr zum Garnieren

3 grüne Chillies, gehackt

1½ TL frisch gehackter Ingwer, plus etwas mehr zum Garnieren

2 Knoblauchzehen, zerdrückt

1 TL Chilipulver

½ TL gemahlene Kurkuma

450 g Lammfleisch, in Würfel geschnitten

1 TL Salz

1 kg frischer Spinat, gehackt, oder 425 g Tiefkühlspinat, aufgetaut

700 ml Wasser

1 Das Öl in einem großen Topf erhitzen und die Zwiebelringe darin glasig dünsten.

2 Koriander und 2 Chillies mit in den Topf geben und alles 3–5 Minuten scharf anbraten.

3 Hitze reduzieren und Ingwer, Knoblauch, Chilipulver und Kurkuma in den Topf geben. Alles gut miteinander verrühren.

4 Das Lammfleisch zufügen und weitere 5 Minuten garen. Salz und Spinat zugeben und unter gelegentlichem Rühren mit einem Holzlöffel 3–5 Minuten garen.

5 Das Wasser zugießen, umrühren und die Mischung bei geringer Hitze abgedeckt ca. 45 Minuten köcheln lassen. Den Deckel abnehmen und das Fleisch prüfen. Sollte es dann noch nicht weich sein, wenden, die Hitze erhöhen und ohne Deckel ein wenig länger kochen, bis die Flüssigkeit verdunstet ist. Dann das Curry weitere 5–7 Minuten unter Rühren braten.

6 Das Lamm-Curry auf einem Servierteller anrichten, mit der restlichen Chili, etwas Koriander und Ingwer garnieren. Heiß servieren.

2

3

4

Kartoffelcurry mit Lamm

Für 6 Personen

300 ml Öl

3 Zwiebeln, in Ringe geschnitten

1 kg Lammkeule, entbeint und gewürfelt

2 TL Garam masala

1½ TL frischer, fein gehackter Ingwer

2 Knoblauchzehen, zerdrückt

1 TL Chilipulver

3 schwarze Pfefferkörner

3 grüne Kardamomkapseln

1 TL schwarze Kreuzkümmelsamen

2 Zimtstangen

1 TL Paprikapulver

1½ TL Salz

150 g Naturjoghurt

600 ml Wasser

3 Kartoffeln

GARNIERUNG

2 grüne Chillies, gehackt

frisch gehackter Koriander

1 Das Öl in einem Topf erhitzen und die Zwiebelringe goldbraun braten. Aus dem Topf nehmen.

2 Das Fleisch in einer Schüssel gründlich mit 1 Teelöffel Garam masala vermischen.

3 Das Fleisch in einem großen Topf 5–7 Minuten bei geringer Hitze anbraten.

4 Die Zwiebeln wieder in den Topf geben, alles gut verrühren und dann vom Herd nehmen.

5 Unterdessen in einer kleinen Schüssel Ingwer, Knoblauch, Chilipulver, Pfeffer, Kardamom, Kreuzkümmel, Zimtstangen, Paprika und Salz vermengen. Joghurt zugeben und alles gut verrühren.

6 Den Topf wieder auf den Herd stellen und die Gewürz-Joghurt-Mischung langsam zum Fleisch geben. 7–10 Minuten kochen. Wasser zugießen, Hitze reduzieren und die Mischung abgedeckt ca. 40 Minuten köcheln lassen, dabei umrühren. Die Kartoffeln schälen, in je 6 Stücke schneiden und in den Topf geben. Das Curry im abgedeckten Topf weitere 15 Minuten garen, dabei gelegentlich umrühren. Mit Chillies und Koriander garniert sofort servieren.

Aserbaidschanischer Lamm-Pilaw

Für 4–6 Personen

2–3 EL Öl
650 g Lammschulter ohne Knochen, in 2,5 cm große Würfel geschnitten
2 Zwiebeln, grob gehackt
1 TL gemahlener Kreuzkümmel
200 g Arborio-, Langkorn- oder Basmati-Reis
1 EL Tomatenmark
1 TL Safranfäden
100 ml Granatapfelsaft (s. Tipp)
850 ml Lamm- oder Hühnerbrühe oder Wasser
120 g getrocknete Aprikosen oder Trockenpflaumen, eingeweicht und halbiert
2 EL Rosinen
Salz und Pfeffer

GARNIERUNG
2 EL frisch gehackte Minze
2 EL frisch gehackte Brunnenkresse

1 Öl in einem großen Schmortopf erhitzen. Das Fleisch portionsweise je 7 Minuten hell anbräunen.

2 Die Zwiebeln zugeben und bei leicht reduzierter Hitze etwa 2 Minuten weich dünsten. Kreuzkümmel und Reis zugeben und unter Rühren weitere 2 Minuten dünsten, bis der Reis glasig ist. Tomatenmark und Safranfäden einrühren.

3 Granatapfelsaft und Brühe oder Wasser zugießen, aufkochen und umrühren. Aprikosen oder Pflaumen und Rosinen einrühren und abschmecken. Die Hitze reduzieren, den Deckel auflegen und alles 20–25 Minuten köcheln lassen, bis das Lammfleisch gar ist und der Reis die Flüssigkeit aufgenommen hat.

4 Den Pilaw mit gehackter Minze und Brunnenkresse bestreuen und aus dem Topf servieren.

TIPP

Granatapfelsaft ist in Asia-Shops erhältlich. Alternativ verwenden Sie ungesüßten Apfel- oder Traubensaft.

Rotes Lammcurry

Für 4 Personen

500 g Lammkeule ohne Knochen
2 EL Öl
1 große Zwiebel, in Ringe geschnitten
2 Knoblauchzehen, zerdrückt
2 EL thailändische rote Currypaste
150 ml Kokosmilch
1 EL Palmzucker
1 große rote Paprika, in breite Streifen geschnitten
120 ml Lamm- oder Rinderbrühe
1 EL thailändische Fischsauce
2 EL Limettensaft
220 g Wasserkastanien aus der Dose, abgetropft
2 EL frisch gehackte Korianderblätter
2 EL frisch gehackte Basilikumblätter
Salz und Pfeffer
frisches Basilikum, zum Garnieren
Jasminreis, zum Servieren

TIPP

Das Curry kann auch mit einer anderen mageren Fleischsorte zubereitet werden. Probieren Sie Entenbrust oder Rindfleisch.

1 Das Fleisch von Fett und Sehnen befreien, in 3 cm große Würfel schneiden. Das Öl in einem Wok oder einer großen Pfanne stark erhitzen. Zwiebel und Knoblauch zugeben und 2–3 Minuten weich dünsten. Das Fleisch zugeben und unter Rühren rundum braun anbraten.

2 Die Currypaste einrühren, einige Minuten mitkochen. Dann Kokosmilch und Zucker zugeben und aufkochen. Die Hitze reduzieren und die Mischung unter gelegentlichem Rühren 15 Minuten köcheln lassen.

3 Paprika, Brühe, Fischsauce und Limettensaft zugeben und abgedeckt 15 Minuten köcheln lassen.

4 Wasserkastanien, Koriander und Basilikum zugeben, mit Salz und Pfeffer abschmecken. Mit frischen Basilikumblättern garnieren. Das Curry heiß zu gekochtem Jasminreis servieren.

Geflügel

Geflügelfleisch eignet sich hervorragend für Eintopfgerichte, denn es harmoniert aufgrund seines milden Geschmacks wunderbar mit Gemüse, Früchten, Kräutern und Gewürzen. Hühnchen ist weltweit beliebt, was sich auch in den Rezepten dieses Kapitels widerspiegelt. So finden sich hier unter anderem Gerichte aus Mexiko, Indien, Thailand, Spanien, Italien und dem Nahen Osten. Das Fleisch verträgt die verschiedensten Garmethoden und Zubereitungsarten und schmeckt in Eintöpfen, Risottos oder Currys ebenso köstlich wie pfannengerührt. Sie finden Rezepte für alle Gelegenheiten und Jahreszeiten, für das Sonntagsessen mit der Familie bis hin zur Dinnerparty. Ob scharf, cremig, mild oder zart – Eintopfgerichte mit Geflügel bieten für jeden Geschmack etwas!

Kichererbsensuppe mit Hühnchen

Für 4 Personen

15 g Butter
3 Frühlingszwiebeln, gehackt
2 Knoblauchzehen, zerdrückt
1 frischer, fein gehackter Majoranzweig
350 g Hähnchenbrustfilet, gewürfelt
1,2 l Hühnerbrühe
350 g Kichererbsen aus der Dose, abgetropft
1 Bouquet garni
Salz und weißer Pfeffer
1 rote Paprika, gewürfelt
1 grüne Paprika, gewürfelt
125 g kurze Nudeln
Croûtons, zum Servieren

1 Die Butter in einem großen Topf zerlassen. Frühlingszwiebeln, Knoblauch, Majoran und Fleisch zugeben und unter regelmäßigem Rühren 5 Minuten bei mittlerer Hitze anbraten.

2 Brühe, Kichererbsen und Bouquet garni zugeben, durchrühren und kräftig salzen und pfeffern.

3 Die Suppe vorsichtig aufkochen, dann bei reduzierter Hitze etwa 2 Stunden sanft köcheln lassen.

4 Paprika und Nudeln zugeben und alles weitere 20 Minuten köcheln lassen.

5 Die Suppe in Suppenteller füllen, mit Croûtons bestreuen und sofort servieren.

TIPP

Sie können auch getrocknete Kichererbsen 6 Stunden in kaltem Wasser einweichen. Abgießen, in die Suppe geben und die Kochzeit um 30–60 Minuten verlängern.

Zitronencremesuppe mit Hühnchen

Für 4 Personen

60 g Butter
8 Schalotten, in dünnen Ringen
2 Karotten, in Scheiben geschnitten
2 Selleriestangen, in dünne Scheiben geschnitten
250 g Hähnchenbrustfilet, klein geschnitten
3 Zitronen
1,2 l Hühnerbrühe
250 g Spaghetti, in Stücke gebrochen
Salz und weißer Pfeffer
150 g Crème double

GARNIERUNG

1 frischer Petersilienzweig
2 Zitronenscheiben, halbiert

TIPP

Sie können die Suppe bis zum Ende von Schritt 3 im Voraus zubereiten, müssen also vor dem Servieren nur noch die Nudeln kochen und die Crème double zugeben.

1 Die Butter in einem großen Topf zerlassen. Schalotten, Karotten, Sellerie und Hähnchenbrust zugeben und unter Rühren 8 Minuten anbraten.

2 Die Zitronen dünn abschälen und die Schale 3 Minuten in sprudelnd kochendem Wasser kochen. Saft aus den Zitronen pressen.

3 Zitronenschale und -saft zusammen mit der Brühe in den Topf geben. Bei schwacher Hitze aufkochen und 40 Minuten köcheln lassen.

4 Die Spaghetti zugeben und 15 Minuten kochen. Mit Salz und weißem Pfeffer abschmecken, dann die Crème double einrühren. Erhitzen, aber nicht mehr kochen.

5 Die Suppe in eine Terrine geben, mit Petersilie und Zitronenscheiben garnieren und servieren.

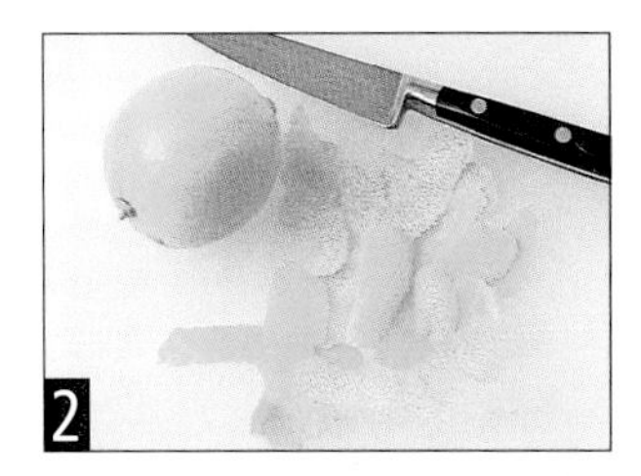

Hühnersuppe mit Spargel

Für 4 Personen

225 g frischer grüner Spargel
850 ml frische Hühnerbrühe
150 ml trockener Weißwein
je 1 Zweig frische Petersilie, Dill und Estragon
1 Knoblauchzehe
60 g Reisnudeln (Vermicelli)
350 g Hühnerfleisch, gegart und fein geschnetzelt
Salz und weißer Pfeffer
1 kleine Porreestange

TIPP

Reisnudeln enthalten kein Fett und sind ein idealer Ersatz für Eiernudeln.

1 Den Spargel waschen, am unteren Drittel schälen und die holzigen Enden abschneiden. Die Stangen in 4 cm lange Stücke schneiden.

2 Brühe und Wein in einen großen Topf geben und aufkochen.

3 Die Kräuter waschen und mit Küchengarn zusammenbinden. Den Knoblauch schälen und mit den Kräutern zur Brühe geben. Spargel und Nudeln zugeben und 5 Minuten köcheln lassen.

4 Hühnerfleisch zugeben und würzen. Noch 3–4 Minuten garen.

5 Den Porree putzen, der Länge nach aufschneiden und gründlich waschen. Trockentupfen und in feine Längsstreifen schneiden.

6 Knoblauch und Kräuter aus der Suppe nehmen. Die Suppe in vorgewärmte Schalen füllen und mit dem Porree bestreut sofort servieren.

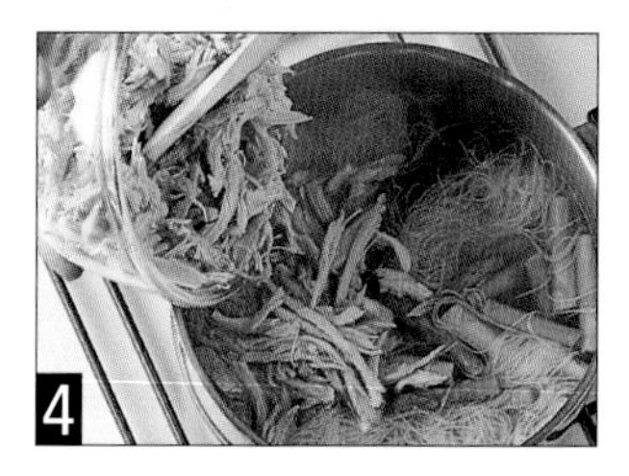

VARIATION

Probieren Sie auch andere Kräuter für dieses Rezept – aber wählen Sie milde Aromen, die den Geschmack des Spargels nicht übertönen. Dünne Spargelstangen sind besonders zart.

Hühnersuppe mit Avocado und Chillies

Für 4 Personen

1½ l Hühnerbrühe

2–3 Knoblauchzehen, zerdrückt

1–2 Chipotle-Chillies, in Streifen geschnitten (s. Tipp)

1 Avocado

Limetten- oder Zitronensaft

3–5 Frühlingszwiebeln, in feine Ringe geschnitten

350–400 g gekochte Hühnerbrust, in dünne Streifen geschnitten

2 EL frisch gehackter Koriander, zum Servieren

1 Limette, in Spalten geschnitten

Tortilla-Chips (nach Belieben)

TIPP

Chipotles sind geräucherte, getrocknete Jalapeño-Chillies, die mariniert oder getrocknet im Fachhandel erhältlich sind. Für diese Suppe sollten am besten fertig vormarinierte Chipotles aus dem Glas verwendet werden. Getrocknete Chillies müssen vor der Verarbeitung eingeweicht werden.

1 Die Brühe mit dem Knoblauch und den Chipotles in einen Topf geben und aufkochen.

2 Die Avocado halbieren und den Kern entfernen. Das Fruchtfleisch vorsichtig von der Schale lösen, in kleine Würfel schneiden und mit etwas Limetten- oder Zitronensaft beträufeln.

3 Frühlingszwiebeln, Avocado, Hühnerfleisch und Koriander auf vier tiefe Teller verteilen oder in eine große Suppenterrine füllen.

4 Die heiße Brühe über das Fleisch und das Gemüse gießen und die Suppe mit den Limettenspalten servieren. Dazu Tortilla-Chips reichen.

Geflügelsuppe mit Mais

Für 4 Personen

500 g Hähnchenbrustfilet, in feine Streifen geschnitten
1,2 l Hühnerbrühe
150 g Crème double
Salz und Pfeffer
100 g Reisnudeln (Vermicelli)
1 EL Speisestärke
3 EL Milch
200 g Mais aus der Dose, abgetropft

1 Hähnchenbrust, Brühe und Crème double in einem großen Topf langsam aufkochen. Die Hitze reduzieren und alles etwa 20 Minuten köcheln lassen. Mit Salz und Pfeffer abschmecken.

2 Unterdessen die Nudeln in leicht köchelndem Salzwasser bissfest garen, anschließend abgießen und warm stellen.

3 Speisestärke und Milch in einer Tasse glatt rühren. Die Mischung in die Suppe gießen und diese eindicken lassen.

4 Mais und Nudeln zugeben und alles gut erwärmen.

5 Die Suppe in eine vorgewärmte Terrine füllen oder auf Portionsschalen verteilen und sofort servieren.

VARIATION

Wer Meeresfrüchte mag, kann statt des Hühnchenfleischs auch 500 g Flusskrebsfleisch verwenden. Das Krebsfleisch muss vor der Verwendung gut zerkleinert werden, und die Kochzeit reduziert sich auf 10 Minuten.

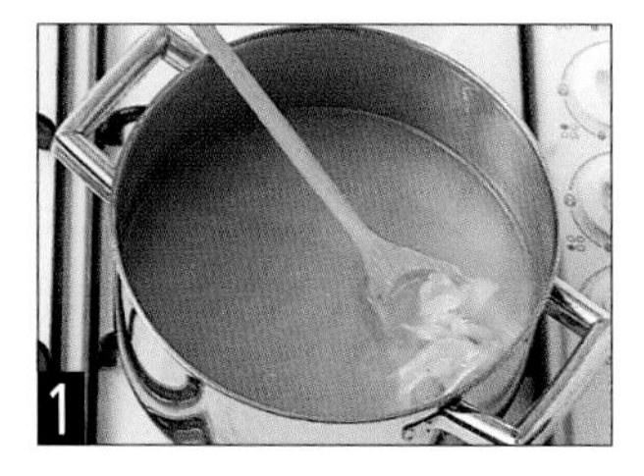

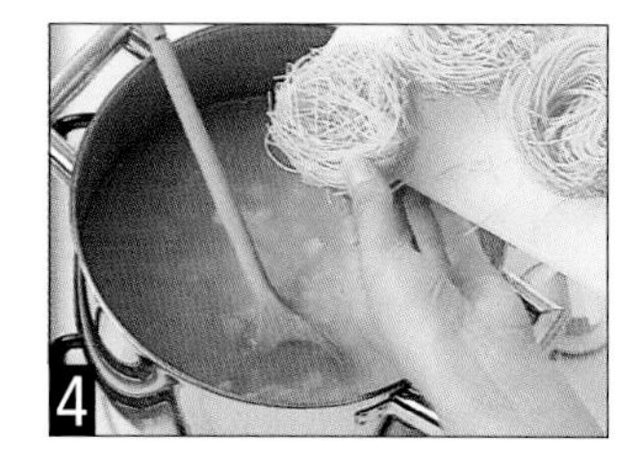

Bohnen-Mais-Suppe mit Huhn

Für 6 Personen

20 g Butter
1 große Zwiebel, fein gehackt
1 Knoblauchzehe, fein gehackt
3 EL Mehl
60 ml Wasser
1 l Hühnerbrühe
1 Karotte, längs geviertelt und in dünne Scheiben geschnitten
175 g grüne Bohnen, in kurze Stücke geschnitten
400 g weiße Bohnen aus der Dose, abgespült und abgetropft
350 g Mais, Tiefkühlware aufgetaut
225 g Hühnerfleisch, gekocht
Salz und Pfeffer

VARIATION

Anstelle der weißen Bohnen können Sie auch 300 g frische dicke Bohnen oder Lima-Bohnen verwenden. Die grünen Bohnen lassen sich gut durch Stangenbohnen ersetzen.

1 Die Butter in einem Topf bei mittlerer Hitze zerlassen. Zwiebel und Knoblauch zugeben und 5 Minuten unter Rühren weich dünsten.

2 Das Mehl zugeben und 2 Minuten unter ständigem Rühren anschwitzen.

3 Langsam das Wasser zugießen. Dabei kräftig über den Topfboden rühren, um das Mehl zu binden. Unter ständigem Rühren aufkochen und 2 Minuten leicht köcheln lassen. Die Brühe zugießen und die Sauce glatt rühren.

3

4 Karotte, grüne und weiße Bohnen, Mais und Hühnerfleisch zugeben. Mit Salz und Pfeffer würzen, wieder aufkochen. Die Hitze reduzieren und die Mischung bei geschlossenem Deckel 35 Minuten köcheln lassen. Gelegentlich umrühren.

4

5 Die Suppe nach Belieben mit Salz und Pfeffer abschmecken.

5

6 In vorgewärmte Suppenteller füllen und servieren.

Hühnchen-Bohnen-Curry

Für 4 Personen

1 TL Senföl
3 EL Öl
1 große Zwiebel, fein gehackt
3 Knoblauchzehen, zerdrückt
1 EL Tomatenmark
2 Tomaten, gehäutet und gewürfelt
1 TL gemahlene Kurkuma
½ TL gemahlener Kreuzkümmel
½ TL gemahlener Koriander
½ TL Chilipulver
½ TL Garam masala
1 TL Rotweinessig
1 kleine rote Paprika, gewürfelt
125 g dicke Bohnen, gekocht
500 g Hähnchenbrustfilet, gegart, in mundgerechte Stücke geschnitten
Salz
frische Korianderzweige, zum Garnieren

1 Das Senföl in einer großen Pfanne 1 Minute stark erhitzen, bis es fast raucht. Das Öl zugeben, die Hitze reduzieren und Zwiebel sowie Knoblauch goldgelb anbraten.

2 Tomatenmark, Tomaten, Kurkuma, Kreuzkümmel, Koriander, Chilipulver, Garam masala und Rotweinessig zugeben und rühren, sodass sich die Aromen der Gewürze gut entfalten.

3 Paprika und Bohnen zufügen und 2 Minuten rühren. Das Hähnchenfilet einrühren und alles mit Salz abschmecken.

4 Das Curry 6–8 Minuten bei geringer Hitze garen, bis das Fleisch durchgegart ist und die Bohnen weich sind. Das fertige Gericht auf vorgewärmten Tellern mit Korianderzweigen garniert servieren.

TIPP

Bei diesem Rezept lassen sich Geflügelreste vom Vortag – Putenfleisch, Entenfleisch oder Wachteln – ideal verwenden. Jede Bohnensorte passt gut als Beilage, ebenso Wurzelgemüse, Zucchini, Kartoffeln oder Brokkoli. Blattgemüse eignet sich weniger gut.

Pikanter Hühnertopf

Für 4–6 Personen

3 EL Olivenöl
1 kg Hähnchenbrustfilet, in Scheiben geschnitten
10 Schalotten, geschält
3 Karotten, gehackt
60 g Maronen, in Scheiben
60 g Mandelblätter, geröstet
1 TL frisch geriebene Muskatnuss
3 TL Zimt
300 ml Weißwein
300 ml Hühnerbrühe
180 ml Weißweinessig
1 EL frisch gehackter Estragon
1 EL frisch gehackte glatte Petersilie
1 EL frisch gehackter Thymian
abgeriebene Schale von 1 Orange
1 EL Demerara-Zucker
Meersalz und Pfeffer
125 g blaue Trauben, halbiert
frische Kräuter, zum Garnieren
Reis oder Kartoffelpüree, als Beilage

1 Das Olivenöl in einem großen Topf erhitzen. Hähnchen, Schalotten und Karotten darin etwa 6 Minuten anbräunen.

2 Restliche Zutaten bis auf die Trauben zugeben und etwa 2 Stunden bei schwacher Hitze köcheln lassen. Gelegentlich umrühren.

3 Die Trauben kurz vor dem Servieren zugeben. Mit Kräutern garnieren. Als Beilage Reis oder Kartoffelpüree reichen.

TIPP

Zu diesem Gericht passen auch frische Weißbrotscheiben, mit denen sich die Sauce gut auftunken lassen.

Kokos-Hühnchen-Topf

Für 4 Personen

1 EL Sonnenblumenöl

1 Zwiebel, in Ringe geschnitten

1 Knoblauchzehe, zerdrückt

2,5-cm-Stück Ingwer, gerieben

1 Bund Frühlingszwiebeln, in diagonale Stücke geschnitten

500 g Hähnchenbrustfilet, in mundgerechte Stücke geschnitten

2 EL milde Currypaste

450 ml Kokosmilch

300 ml Hühnerbrühe

Salz und Pfeffer

250 g chinesische Eiernudeln

2 TL Limettensaft

frische Basilikumblätter, zum Garnieren

TIPP

Wenn Sie eine Vorliebe für scharf Gewürztes haben, ersetzen Sie die milde Currypaste durch scharfe. Aber Vorsicht: Verwenden Sie insgesamt nicht mehr als 1 Esslöffel.

1 Das Öl in einem Wok oder einer großen Pfanne erhitzen.

2 Zwiebel, Knoblauch, Ingwer und Frühlingszwiebeln darin 2 Minuten unter Rühren anbraten.

3 Hähnchenfleisch und Currypaste zugeben und 4 Minuten unter Rühren goldgelb anbräunen. Kokosmilch, Brühe sowie Salz und Pfeffer unterrühren.

4 Aufkochen, die Nudeln zugeben, abdecken und unter gelegentlichem Rühren etwa 6–8 Minuten köcheln, bis die Nudeln bissfest sind.

5 Den Limettensaft zugießen und nach Belieben mit Salz und Pfeffer abschmecken.

6 Mit Basilikum garniert sofort auf tiefen Suppentellern servieren.

2

3

3

Hühnchenpastete

Für 4–6 Personen

125 g Mehl

1 Prise Salz

1 Ei, verquirlt

200 ml Milch

80 ml Wasser

2 EL Bratfett

250 g Hähnchenbrustfilet

250 g pikante Mettwurst

VARIATION

Statt der Hähnchenbrustfilets ergeben entbeinte und von Fett, Knorpel und Haut befreite Hähnchenschenkel in diesem Gericht eine preiswertere Alternative.

1 Mehl und Salz in einer Schüssel mischen, eine Mulde in die Mitte drücken und das Ei hineingeben.

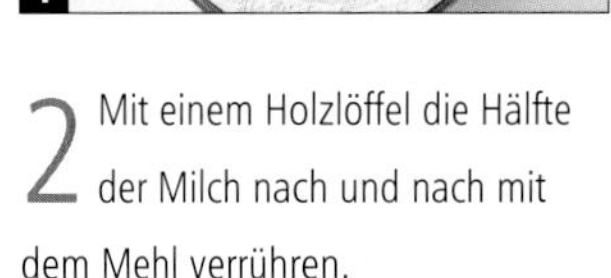

2 Mit einem Holzlöffel die Hälfte der Milch nach und nach mit dem Mehl verrühren.

3 Die Mischung glatt rühren, dann die restliche Milch und das Wasser zugießen.

4 Die Mischung glatt rühren und mindestens 1 Stunde ruhen lassen. Das Bratfett in eine große Auflaufform geben.

5 Den Backofen auf 220 °C vorheizen. Fleisch und Wurst in große Stücke zerteilen und in die Auflaufform geben.

6 Die Form 5 Minuten im Backofen erhitzen. Aus dem Ofen nehmen und so hoch mit dem Teig füllen, dass dieser sich noch ausdehnen kann.

7 Die Formen wieder in den Backofen geben und 35 Minuten backen, bis der Teig goldbraun und aufgegangen ist. Die Ofentür beim Backen mindestens 30 Minuten geschlossen halten. Heiß servieren.

Hühnchen-Peperonata

Für 4 Personen

8 Hähnchenschenkel ohne Haut

2 EL Vollkornmehl

2 EL Olivenöl

1 kleine Zwiebel, in dünne Ringe geschnitten

1 Knoblauchzehe, zerdrückt

je 1 große rote, gelbe und grüne Paprika, in Streifen geschnitten

400 g Tomaten aus der Dose, zerkleinert

1 EL frisch gehackter Oregano

Salz und Pfeffer

frischer Oregano, zum Garnieren

Vollkornbrot, zum Servieren

TIPP

Wenn kein frischer Oregano vorrätig ist, mit Kräutern verfeinerte Dosentomaten verwenden. Die Paprika halbieren und unter den vorgeheizten Backofengrill legen, bis sich die Haut schwärzt. Abkühlen lassen, Kerne entfernen und das Fleisch in dünne Streifen schneiden.

1 Die Hähnchenschenkel in Mehl wenden.

2 Das Öl in einer Pfanne erhitzen und die Schenkel scharf anbraten und bräunen, dann aus der Pfanne nehmen. Die Zwiebel sanft glasig anbraten. Knoblauch, Paprika, Tomaten und Oregano zugeben und unter Rühren erhitzen.

3 Die Hähnchenschenkel auf das Gemüse legen, kräftig mit Salz und Pfeffer abschmecken, den Deckel auflegen und etwa 20–25 Minuten köcheln, bis das Fleisch gar ist.

4 Abschmecken, mit Oregano garnieren und dann sofort mit Vollkornbrot servieren.

Hühnchen aus dem Wok

Für 4 Personen

2 EL Ghee oder Öl
3 Knoblauchzehen, zerdrückt
1 Zwiebel, fein gehackt
2 EL Garam masala
1 TL gemahlener Koriander
½ TL getrocknete Minze
1 Lorbeerblatt
750 g Hähnchenbrustfilet, gewürfelt
200 ml Hühnerbrühe
1 TL frisch gehackter Koriander
Salz
warmes Naan-Brot oder Chapatis, zum Servieren

1 Das Fett in einem Wok oder einer gusseisernen Pfanne erhitzen. Knoblauch und Zwiebel zugeben und 4 Minuten unter Rühren goldbraun anbraten.

2 Garam masala, Koriander, Minze und Lorbeerblatt zugeben.

3 Das Fleisch zugeben und bei starker Hitze 5 Minuten anbraten, dabei gelegentlich umrühren. Die Brühe zugießen und 10 Minuten köcheln lassen, bis die Sauce eindickt. Beim Anstechen des Fleisches sollte klarer Fleischsaft austreten.

4 Frischen Koriander und Salz einrühren, alles gut vermischen und sofort mit Naan-Brot oder Chapatis servieren.

1

3

3

TIPP

Den Wok immer erhitzen, bevor das Fett zugegeben wird. Dadurch erreicht man höhere Temperaturen.

Hähnchen Tikka

Für 6 Personen

1 TL geriebener Ingwer
1 große Knoblauchzehe, zerdrückt
½ TL gemahlener Koriander
½ TL gemahlener Kreuzkümmel
1 TL Chilipulver
3 EL Naturjoghurt
1 TL Salz
2 EL Zitronensaft
einige Tropfen rote Lebensmittelfarbe (nach Belieben)
1 EL Tomatenmark
1,5 kg Hähnchenbrustfilet
1 Zwiebel, in Ringe geschnitten
3 EL Öl
GARNIERUNG
12 Salatblätter
Zitronenspalten

1 Ingwer, Knoblauch, Koriander, Kreuzkümmel und Chilipulver vermischen.

2 Joghurt, Salz, Zitronensaft, Lebensmittelfarbe und Tomatenmark zur Gewürzmischung geben.

3 Die Hähnchenbrustfilets mit einem scharfen Messer in mundgerechte Stücke schneiden und in die Joghurt-Gewürz-Mischung geben. Alles gut verrühren und 3 Stunden marinieren.

TIPP
Hähnchen-Tikka kann auch mit Naan-Brot, Raita und Mango-Chutney serviert werden.

4 Die Zwiebelringe in einer Auflaufform verteilen und mit der Hälfte des Öls übergießen.

5 Die marinierten Hähnchenteile auf die Zwiebelringe legen und unter dem vorgeheizten Backofengrill 25–30 Minuten grillen, dabei jedes Hähnchenfleischstück einmal wenden. Mit dem restlichen Öl bestreichen.

6 Tikka auf einem Salatbett anrichten und mit Zitronenspalten garniert servieren.

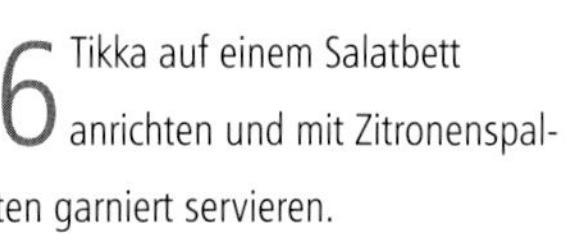

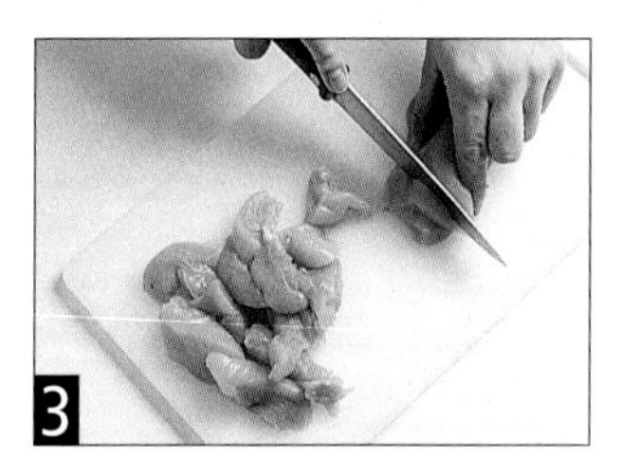

Hühnerfrikassee in Limettensauce

Für 4 Personen

1 Poularde, in Stücken

50 g Mehl, mit Salz und Pfeffer gewürzt

2 EL Öl

500 g junge Zwiebeln oder Schalotten, in Ringe geschnitten

je 1 grüne und rote Paprika, in dünne Streifen geschnitten

150 ml Hühnerbrühe

Saft und abgeriebene Schale von 2 Limetten

2 grüne Chillies, gehackt

2 EL Austernsauce

1 TL Worcestersauce

Salz und Pfeffer

VARIATION

Dieser Eintopf schmeckt auch mit Käse überbacken: den Eintopf etwa 30 Minuten vor Ende der Garzeit mit Reibekäse bestreuen und ohne Deckel fertig garen.

1 Das Fleisch gleichmäßig im Mehl wenden und den Überschuss abschütteln. Das Öl in einer großen Pfanne erhitzen und das Fleisch darin etwa 4 Minuten rundum goldbraun anbraten.

2 Das Hühnerfleisch mit einem Pfannenwender in einen Bräter geben, mit den Zwiebeln bestreuen und warm stellen.

2

3 Backofen auf 190 °C vorheizen. Die Paprika langsam im Bratensaft in der Pfanne andünsten.

3

4 Mit Hühnerbrühe, Limettensaft und -schale übergießen und weitere 5 Minuten garen.

5

5 Chillies, Austernsauce und Worcestersauce zufügen und dann mit Salz und Pfeffer abschmecken. Paprika und Sauce über das Fleisch geben. Den Bräter abdecken.

6 Das Gericht 90 Minuten im Backofen auf mittlerer Schiene garen. Sofort servieren.

Überbackene Hähnchenkeulen

Für 4 Personen

8 Hähnchenunterkeulen, ohne Haut
1 EL Öl
1 kleine Zwiebel, in Ringe geschnitten
350 g junge Karotten
2 junge weiße Rüben
120 g dicke Bohnen oder Erbsen
1 TL Speisestärke
300 ml Hühnerbrühe
2 Lorbeerblätter
Salz und Pfeffer

BELAG

250 g Vollkornmehl
2 TL Backpulver
25 g Sonnenblumenmargarine
2 TL körniger Senf
60 g Gouda, gerieben
2–3 EL Magermilch, plus etwas mehr zum Bestreichen
Sesamsaat, zum Bestreuen

1 Die Hähnchenteile im Öl unter mehrfachem Wenden rundum goldgelb anbraten. Gut abtropfen lassen und in einen Bräter geben. Die Zwiebel 2 Minuten im Öl andünsten.

2 Karotten und Rüben gründlich putzen, in gleich große Stücke schneiden und mit der Zwiebel und den Bohnen oder Erbsen zugeben.

Die Speisestärke mit etwas Brühe in einem Topf verrühren, dann die restliche Brühe zugießen und unter Rühren vorsichtig aufkochen. Zum Fleisch gießen, die Lorbeerblätter zufügen und abschmecken.

3 Den Backofen auf 200 °C vorheizen. Die Mischung abdecken und 50–60 Minuten im Ofen garen.

4 Mehl und Backpulver in eine Schüssel sieben. Nacheinander Margarine, Senf und Käse mit den Fingern einarbeiten und mit der Milch zu einem weichen Teig verarbeiten. Ausrollen und mit einer 4-cm-Ausstechform 16 Kreise ausstechen. Die Plätzchen auf das Fleisch legen, mit Milch bestreichen und mit Sesamsaat bestreuen. Weitere 20 Minuten backen, bis die Plätzchen goldbraun und knusprig sind.

Baskisches Huhn

Für 4–5 Personen

1 Huhn (1,3 kg), in 8 Teilen
2 EL Mehl
Salz und Pfeffer
2–3 EL Olivenöl
1 große Gemüsezwiebel, in dicke Ringe geschnitten
2 Paprika, in breite Streifen geschnitten
2 Knoblauchzehen
150 g Chorizo ohne Haut, in 1 cm dicke Scheiben geschnitten
1 EL Tomatenmark
200 g Langkornreis
450 ml Hühnerbrühe
1 TL Chilipulver
½ TL getrockneter Thymian
120 g luftgetrockneter Schinken, gewürfelt
12 schwarze Oliven
2 EL frisch gehackte glatte Petersilie

1 Die Hühnerteile mit Küchenpapier trockentupfen. Mehl, Salz und Pfeffer in einen Gefrierbeutel geben und vermischen, die Hühnerteile zugeben. Den Beutel verschließen und kräftig schütteln.

2 2 Esslöffel Öl in einem Schmortopf bei mittlerer Hitze erwärmen. Das Fleisch zugeben und etwa 15 Minuten rundum anbraten. Auf einen Teller geben.

3 Das restliche Öl bei mittlerer Hitze erwärmen, Zwiebel und Paprika zugeben und gut anbräunen. Knoblauch, Chorizo und Tomatenmark zugeben und 3 Minuten unter Rühren dünsten. Den Reis zufügen und 2 Minuten unter ständigem Rühren glasig dünsten.

4 Brühe, Chilipulver, Thymian, Salz und Pfeffer einrühren und aufkochen. Das Fleisch dann wieder in den Schmortopf geben, abdecken und bei sehr geringer Hitze etwa 45 Minuten schmoren lassen, bis Fleisch und Reis gar sind.

5 Schinken, Oliven und die Hälfte der Petersilie unterrühren. Den Deckel wieder auflegen und alles 5 Minuten erhitzen. Mit der restlichen Petersilie bestreut servieren.

3

5

Zwiebel-Hühnchen-Curry

Für 4 Personen

300 ml Öl
4 Zwiebeln, fein gehackt
1½ TL frisch gehackter Ingwer
1½ TL Garam masala
2 Knoblauchzehen, zerdrückt
1 TL Chilipulver
1 TL gemahlener Koriander
3 Kardamomkapseln
3 Pfefferkörner
3 EL Tomatenmark
1 TL Salz
8 Hähnchenschenkel, ohne Haut
300 ml Wasser
2 EL Zitronensaft
1 grüne Chili, gehackt
¼ Bund frischer Koriander, gehackt
1 grüne Chili, in Streifen geschnitten, zum Garnieren

1 Das Öl in einer Pfanne erhitzen. Die Zwiebeln darin unter gelegentlichem Rühren goldbraun braten.

2 Die Hitze reduzieren und Ingwer, Garam masala, Knoblauch, Chilipulver, gemahlenen Koriander, Kardamom und Pfefferkörner zugeben. Alles verrühren.

3 Tomatenmark und Salz zur Gewürzmischung in die Pfanne geben und alles 5–7 Minuten anbraten.

4 Hähnchenschenkel in die Pfanne geben und untermengen.

TIPP

Am besten schmeckt das Curry, wenn es einige Tage im Voraus zubereitet und vor dem Servieren aufgewärmt wird. So verstärkt sich das Aroma.

5 Das Wasser zugeben und die Mischung abgedeckt 20–25 Minuten garen.

6 Zitronensaft, Chili und Koriander unterrühren.

7 Die Hähnchenschenkel auf vorgewärmte Teller verteilen, garnieren und heiß servieren.

1

3

4

Huhn Bourguignon

Für 4–6 Personen

4 EL Sonnenblumenöl
900 g Hühnerfleisch, gewürfelt
250 g Champignons
125 g durchwachsener Räucherspeck, gewürfelt
16 Schalotten
2 Knoblauchzehen, zerdrückt
1 EL Mehl
150 ml weißer Burgunder
150 ml Hühnerbrühe
1 Bouquet garni (1 Lorbeerblatt, 1 Thymianzweig, 1 Selleriestange, je 1 Petersilien- und Salbeizweig, zusammengebunden)
Salz und Pfeffer
ZUM SERVIEREN
8 Croûtes
verschiedene gekochte Gemüsesorten nach Wahl

1 Den Backofen auf 150 °C vorheizen. Das Sonnenblumenöl in einem feuerfesten Topf erhitzen und das Hühnerfleisch rundum anbraten. Dann das Fleisch mit einem Schaumlöffel aus dem Topf heben.

2 Champignons, Speck, Schalotten und Knoblauch in den Topf geben und 4 Minuten anbraten.

3 Das Fleisch wieder zufügen und mit Mehl bestäuben. Unter ständigem Rühren weitere 2 Minuten anschwitzen.

4 Mit Wein und Hühnerbrühe unter Rühren aufkochen. Bouquet garni zufügen, salzen und pfeffern.

5 Den Topf abdecken und das Gericht 90 Minuten im Ofen auf mittlerer Schiene garen. Das Bouquet garni herausnehmen. Herzförmige Croûtes (etwa 8 Stück) in Bratfett knusprig braten und mit Gemüse zum Fleisch servieren.

TIPP

Statt Weißwein können Sie auch Rotwein verwenden, der eine kräftigere Sauce ergibt.

Hühnchen-Orangen-Eintopf

Für 4 Personen

8 Hähnchenunterkeulen, ohne Haut
1 EL Vollkornmehl
1 EL Olivenöl
2 rote Zwiebeln
1 Knoblauchzehe, zerdrückt
1 TL Fenchelsamen
1 Lorbeerblatt
abgeriebene Schale und Saft von 1 kleinen Orange
400 g Tomaten aus der Dose, gewürfelt
400 g Cannellini- oder Flageoletbohnen aus der Dose, abgetropft
Salz und Pfeffer
BELAG
3 dicke Scheiben Vollkornbrot
2 TL Olivenöl

1 Den Backofen auf 190 °C vorheizen. Die Hähnchenunterkeulen im Mehl wenden. Das Öl in einem beschichteten Topf oder einer Kasserolle erhitzen und die Keulen bei starker Hitze unter häufigem Wenden von allen Seiten goldbraun anbraten. In einen Bräter geben und warm stellen.

2 Die Zwiebeln in dünne Spalten schneiden, in den Topf geben und einige Minuten leicht anbraten. Den Knoblauch zugeben.

3 Fenchelsamen, Lorbeerblatt, Orangenschale und -saft, Tomaten und Bohnen zugeben. Mit Salz und Pfeffer abschmecken.

2

3

5

4 Das Fleisch abdecken und 30–35 Minuten im Ofen garen. Beim Anstechen muss aus dem Fleisch klarer Saft austreten.

5 Das Brot in kleine Würfel schneiden und im Öl wälzen. Den Bräter öffnen, dann die Brotwürfel über das Fleisch streuen und weitere 15–20 Minuten knusprig braun backen. Heiß servieren.

TIPP

Verwenden Sie Bohnen, die ohne Zucker oder Salz eingelegt sind. Vor Gebrauch abspülen.

Hühnchen-Bohnen-Topf

Für 4 Personen

2 EL Mehl
1 TL Chilipulver
Salz und Pfeffer
4 große Hähnchenschenkel
3 EL Öl
2 Knoblauchzehen, zerdrüc kt
1 große Zwiebel, gehackt
1 grüne oder rote Paprika, gewürfelt
300 ml Hühnerbrühe
350 g Tomaten, in Stücke geschnitten
400 g Kidneybohnen aus der Dose, abgespült und abgetropft
2 EL Tomatenmark

TIPP

Für einen noch fruchtigeren Geschmack verwenden Sie Pesto rosso anstelle des Tomatenmarks.

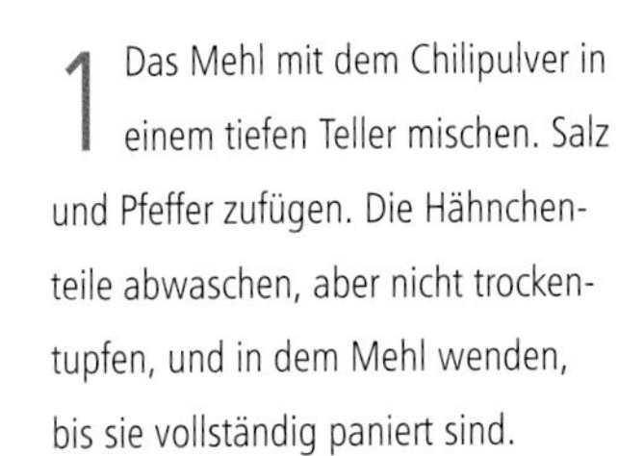

1 Das Mehl mit dem Chilipulver in einem tiefen Teller mischen. Salz und Pfeffer zufügen. Die Hähnchenteile abwaschen, aber nicht trockentupfen, und in dem Mehl wenden, bis sie vollständig paniert sind.

2 Das Öl in einer tiefen Pfanne stark erhitzen und die Hähnchenteile 4 Minuten von allen Seiten anbraten.

3 Die Hähnchenteile aus der Pfanne nehmen und auf Küchenpapier abtropfen lassen.

4 Knoblauch, Zwiebel und Paprika bei mittlerer Hitze 2–3 Minuten im Bratenfett anbraten, dabei gelegentlich umrühren.

5 Brühe, Tomaten, Kidneybohnen und Tomatenmark unterrühren. Aufkochen, die Hähnchenteile wieder in die Pfanne geben. Die Hitze reduzieren, die Mischung abdecken und etwa 30 Minuten schmoren lassen, bis das Fleisch gar ist. Mit Salz und Pfeffer abschmecken und sofort servieren.

Hühnchen-Khorma

Für 6–8 Personen

1½ TL frischer, fein gehackter Ingwer
2 große Knoblauchzehen, zerdrückt
2 TL Garam masala
1 TL Chilipulver
1 TL Salz
1 TL schwarze Kreuzkümmelsamen
1 TL gemahlener Koriander
Samen 3 grünen Kardamomkapseln, zerdrückt
1 TL gemahlener Kardamom
1 TL gemahlene Mandeln
150 g Naturjoghurt
8 Hähnchenbrustfilets
300 ml Öl
2 Zwiebeln, in Ringe geschnitten
150 ml Wasser
frischer Koriander, gehackt
2 grüne Chillies, gehackt
gekochter Reis, als Beilage

1 Ingwer, Knoblauch, Garam masala, Chilipulver, Salz, Kreuzkümmel, Koriander, Kardamom und Mandeln mit dem Joghurt verrühren.

2 Die Joghurt-Gewürz-Mischung über die Hähnchenbrustfilets verteilen und zum Marinieren beiseite stellen.

3 Das Öl in einer großen Pfanne erhitzen und die Zwiebeln darin goldbraun braten.

4 Die Hähnchenbrustfilets in die Pfanne geben und 5–7 Minuten durchbraten.

VARIATION

Die Hähnchenbrustfilets können durch Hähnchenschenkel ersetzt werden, die in Schritt 5 evtl. 10 Minuten länger garen müssen.

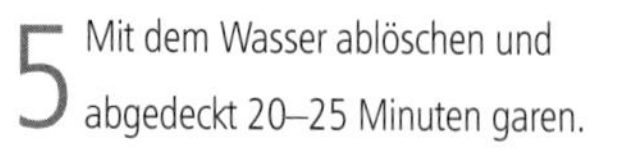

5 Mit dem Wasser ablöschen und abgedeckt 20–25 Minuten garen.

6 Koriander und grüne Chillis zugeben und weitere 10 Minuten garen, dabei gelegentlich umrühren.

7 Auf einer Servierplatte anrichten und mit gekochtem Reis servieren.

Ungarisches Hühnergulasch

Für 6 Personen

900 g Hühnerfleisch, gewürfelt

60 g Mehl, mit 1 TL Paprikapulver, Salz und Pfeffer gewürzt

2 EL Olivenöl

25 g Butter

1 Zwiebel, in Ringe geschnitten

24 Schalotten, geschält

je 1 rote und grüne Paprika, gewürfelt

1 EL Paprikapulver

1 TL frisch gehackter Rosmarin

4 EL Tomatenmark

300 ml Hühnerbrühe

150 ml Bordeaux

400 g Tomaten aus der Dose, gewürfelt

GARNIERUNG

150 g saure Sahne

1 EL frisch gehackte Petersilie

ZUM SERVIEREN

Baguettebrot und grüner Salat

1 Backofen auf 160 °C vorheizen. Das Fleisch im Würzmehl wenden, bis es gleichmäßig bedeckt ist.

2 Öl und Butter in einem ofenfesten Topf erhitzen und die Zwiebel, Schalotten und Paprika 3 Minuten anbraten.

3 Das Hühnerfleisch zufügen und alles 4 Minuten weiterbraten.

4 Die Mischung mit Paprikapulver und Rosmarin bestreuen.

5 Tomatenmark, Brühe, Rotwein und Tomatenstücke in den Topf geben. Abdecken und 1½ Stunden im Backofen auf mittlerer Schiene garen.

6 Aus dem Ofen nehmen und 4 Minuten stehen lassen. Dann mit verrührter saurer Sahne und mit Petersilie garnieren.

7 Mit Baguettebrot und grünem Salat servieren.

VARIATION

Sie können das Gulasch auch mit in Butter geschwenkten Bandnudeln servieren. Statt Bordeaux kann auch ungarischer Rotwein verwendet werden.

Hühnchenrisotto milanese

Für 4 Personen

125 g Butter
900 g Hühnerfleisch, ohne Haut, in dünne Streifen geschnitten
1 große Zwiebel, gehackt
500 g Risotto- oder Milchreis
600 ml Hühnerbrühe
1 TL zerriebene Safranfäden
150 ml Weißwein
Salz und Pfeffer
60 g frisch geriebener Parmesan
frisch gehackte glatte Petersilie, zum Garnieren

VARIATION

Die Variationsmöglichkeiten sind schier endlos – kurz vor Ende der Kochzeit können Sie z. B. folgende Zutaten zufügen: Cashewkerne und Mais, leicht angebratene Zucchini und Basilikum oder Artischocken und Austernpilze.

1 60 g Butter in einer Pfanne zerlassen und das Fleisch und die Zwiebel goldbraun anbraten. Den Reis zugeben, gründlich umrühren und 5 Minuten unter Rühren garen.

2 Die Brühe aufkochen und nach und nach zum Reis geben. Safran, Weißwein, Salz und Pfeffer nach Geschmack zugeben. Unter häufigem Rühren 20 Minuten bei schwacher Hitze köcheln lassen und mehr Brühe zugießen, wenn die Reismasse zu trocken wird.

3 Die Mischung einige Minuten ziehen lassen. Unmittelbar vor dem Servieren ein wenig Brühe zugießen und weitere 10 Minuten köcheln lassen. Das Risotto mit Parmesan bestreuen, mit Butterflocken und Petersilie garnieren und sofort servieren.

TIPP

Risotto darf nicht trocken, sollte aber auch nicht klebrig geraten. Brühe nur in geringen Mengen zugießen, wenn die letzte Flüssigkeit ganz aufgenommen ist.

Hühnchen-Kartoffel-Pfanne

Für 4 Personen

2 EL Öl
60 g Butter
4 Hähnchenstücke à ca. 250 g
2 Porreestangen, gehackt
1 Knoblauchzehe, zerdrückt
4 EL Mehl
900 ml Hühnerbrühe
300 ml trockener Weißwein
Salz und Pfeffer
125 g Karotten, längs halbiert
125 g Babymaiskolben, längs halbiert
450 g kleine neue Kartoffeln
1 Bouquet garni
150 g Crème double
gekochter Reis oder Gemüse als Beilage

VARIATION

Nehmen Sie statt des Hähnchens einmal Putenfleisch, und variieren Sie das Gemüse je nach Geschmack.

1 Öl und Butter in einer Pfanne erhitzen, das Fleisch zufügen und 10 Minuten unter häufigem Wenden anbraten. Mit einem Schaumlöffel herausheben und in eine Kasserolle geben.

2 Porree und Knoblauch in die Pfanne geben und unter Rühren 2–3 Minuten dünsten. Das Mehl einrühren und 1 weitere Minute anschwitzen. Die Pfanne vom Herd nehmen, Brühe und Wein einrühren und mit Salz und Pfeffer abschmecken.

3 Die Pfanne wieder auf den Herd stellen und die Flüssigkeit kurz aufkochen. Karotten, Mais, Kartoffeln und das Bouquet garni zugeben.

4 Mischung in die Kasserolle füllen, abdecken und in den auf 180 °C vorgeheizten Backofen stellen.

5 Nach 1 Stunde Garzeit den Deckel entfernen, Crème double einrühren und weitere 15 Minuten schmoren. Das Bouquet garni herausnehmen und wegwerfen. Erneut abschmecken. Die Kartoffelpfanne mit Reis oder gedünstetem Gemüse servieren.

1

3

5

Hühnchenschmortopf mit Rosmarinklößen

Für 4 Personen

4 Hühnerviertel
2 EL Sonnenblumenöl
2 Porreestangen
250 g Karotten, klein geschnitten
250 g Pastinaken, klein geschnitten
2 kleine weiße Rüben,
klein geschnitten
600 ml Hühnerbrühe
3 EL Worcestersauce
2 frische Rosmarinzweige
Salz und Pfeffer
KLÖSSE
200 g Mehl
2 TL Backpulver
100 g gehackter Rindertalg
1 EL frisch gehackter Rosmarin
kaltes Wasser, zum Verkneten

1 Die Hühnerviertel nach Belieben häuten. Das Öl in einem großen Topf oder Bräter erhitzen und die Hühnerteile rundum goldbraun anbraten. Mit einem Schaumlöffel herausnehmen und überschüssiges Fett abtropfen lassen.

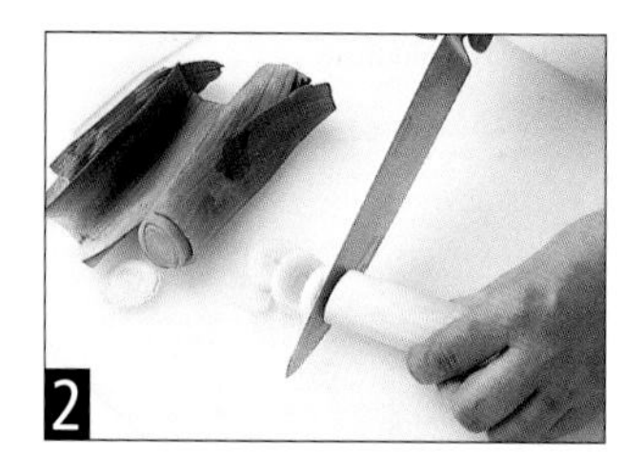
2

2 Den Porree putzen und in Scheiben schneiden. Mit den Karotten, Pastinaken und Rüben im Topf 5 Minuten leicht anbraten. Das Hühnerfleisch wieder zugeben.

3

3 Hühnerbrühe, Worcestersauce, Rosmarin, Salz und Pfeffer zugeben und aufkochen.

4 Die Temperatur reduzieren, Mischung abdecken und 50 Minuten leicht köcheln lassen, bis in der Garprobe beim Anstechen des Fleisches klarer Saft austritt.

5 Für die Klöße: Mehl, Backpulver, Rindertalg, Rosmarin, Salz und Pfeffer in einer Schüssel mit Wasser zu einem festen Teig verkneten.

6 Den Teig zu 8 kleinen Kugeln formen und auf das Fleisch geben. Abdecken und weitere 10–12 Minuten garen, bis die Klöße aufgegangen sind. Das Gericht aus dem Topf mit den Rosmarinklößen servieren.

6

Hähnchenschmortopf mit Knoblauch

Für 4 Personen

4 EL Sonnenblumenöl
900 g Hähnchenfilet, gewürfelt
250 g Champignons, in Scheiben
16 Schalotten, geschält
6 Knoblauchzehen, zerdrückt
1 EL Mehl
250 ml Weißwein
250 ml Hühnerbrühe
1 Bouquet garni (1 Lorbeerblatt, 1 Thymianzweig, 1 Selleriestange, je 1 Petersilien- und Salbeizweig, zusammengebunden)
Salz und Pfeffer
400 g Cannellini-Bohnen
gekochte Mini-Kürbisse, als Beilage

1 Den Backofen auf 150 °C vorheizen. Das Sonnenblumenöl in einem Topf erhitzen und das Hähnchenfilet darin rundum goldbraun anbraten. Mit einem Schaumlöffel herausnehmen und beiseite stellen.

2 Champignons, Schalotten und Knoblauch 4 Minuten im Sonnenblumenöl dünsten.

3 Das Fleisch wieder in den Topf geben, mit Mehl bestreuen und weitere 2 Minuten braten.

4 Weißwein und Hühnerbrühe zugießen und unter Rühren aufkochen. Das Bouquet garni zufügen und die Mischung abschmecken.

5 Bohnen abgießen, waschen, abtropfen und in den Topf geben.

6 Den Topf abdecken und 2 Stunden im Backofen garen. Das Bouquet garni herausnehmen und den Eintopf mit den gekochten Mini-Kürbissen servieren.

2

3

5

TIPP

Pilze eignen sich gut für die fettarme Ernährung, da sie einen starken Geschmack haben, aber kein Fett enthalten. Um dieses Gericht noch nahrhafter zu machen, Naturreis als Beilage servieren.

Grünes Hühnchencurry

Für 4 Personen

6 Hähnchenoberschenkel, ohne Haut und Knochen
400 ml Kokosmilch
2 Knoblauchzehen, zerdrückt
2 EL thailändische Fischsauce
2 EL grüne Currypaste
12 Mini-Auberginen
3 frische grüne Chillies, fein gehackt
3 Kaffir-Limettenblätter, in Streifen
Salz und Pfeffer
4 EL frisch gehackter Koriander
gekochter Reis, zum Servieren

1 Das Hähnchenfleisch in mundgerechte Stücke schneiden. Die Kokosmilch in einen Wok oder großen Topf gießen und bei starker Hitze aufkochen.

2 Fleisch, Knoblauch und Fischsauce zugeben und wieder aufkochen. Die Hitze reduzieren und 30 Minuten köcheln lassen, bis das Fleisch gerade gar ist.

3 Das Fleisch mit einem Schaumlöffel aus der Sauce nehmen und warm stellen.

TIPP

Traditionell verwendet man für dieses Gericht thailändische Mini-Auberginen. Sollten diese im Asia-Shop nicht erhältlich sein, nehmen Sie stattdessen eine entsprechende Menge normale Auberginen oder auch grüne Erbsen.

2

4

5

4 Die grüne Currypaste unter die Sauce rühren. Auberginen, Chillies und Kaffir-Limettenblätter zufügen und 5 Minuten köcheln lassen.

5 Das Fleisch wieder in den Topf geben und alles aufkochen. Mit Salz und Pfeffer abschmecken, dann den Koriander einrühren. Das Curry heiß mit gekochtem Reis servieren.

Salbeihuhn mit Reis

Für 4 Personen

1 große Zwiebel, gehackt
1 Knoblauchzehe, zerdrückt
2 Selleriestangen, in Scheiben
2 Karotten, gewürfelt
2 frische Salbeizweige
300 ml Hühnerbrühe
350 g Hähnchenbrustfilet
225 g Wildreismischung (Naturreis und Wildreis)
400 g Tomaten aus der Dose, gewürfelt
1 Spritzer Tabasco
Salz und Pfeffer
2 Zucchini, in Scheiben geschnitten
100 g Kochschinken, gewürfelt
frische Salbeiblätter, zum Garnieren

ZUM SERVIEREN
Salatblätter
Weißbrot

TIPP

Der frische Salbei in Schritt 1 kann auch durch getrockneten ersetzt werden.

1 Zwiebel, Knoblauch, Sellerie, Karotten und Salbeizweige in einen großen Topf geben. Die Hühnerbrühe zugießen, aufkochen und bei geschlossenem Deckel 5 Minuten leicht köcheln lassen.

2 Das Hähnchenfilet in 2,5 cm große Würfel schneiden und zum Gemüse geben. Abgedeckt weitere 5 Minuten kochen.

2

3 Den Reis und die Tomatenwürfel zugeben. Mit Tabasco, Salz und Pfeffer würzen. Wieder aufkochen, und abgedeckt 25 Minuten bei geringer Hitze kochen.

3

4 Zucchini und Kochschinken einrühren und ohne Deckel 10 Minuten leicht kochen, bis der Reis eben weich ist. Dabei gelegentlich umrühren.

4

5 Vom Herd nehmen, die Salbeizweige entfernen. Mit Salbeiblättern garnieren und mit Salatblättern und Weißbrot servieren.

Hühnchen in Buttersauce

Für 4–6 Personen

100 g Butter
1 EL Öl
2 Zwiebeln, fein gehackt
2-cm-Stück frischer Ingwer, fein gehackt
2 TL Garam masala
2 TL gemahlener Koriander
1 TL Chilipulver
1 TL schwarze Kreuzkümmelsamen
1 große Knoblauchzehe, zerdrückt
1 TL Salz
3 grüne Kardamomkapseln
3 Pfefferkörner
150 g Naturjoghurt
2 EL Tomatenmark
8 Hühnchenteile, ohne Haut
150 ml Wasser
2 Lorbeerblätter
150 g Schlagsahne
GARNIERUNG
frisch gehackter Koriander
2 grüne Chillies, gehackt

1 Butter und Öl in einer großen Pfanne erhitzen. Die Zwiebeln darin goldbraun braten. Hitze reduzieren.

2 Den Ingwer mit Garam masala, gemahlenem Koriander, Chilipulver, Kreuzkümmel, Knoblauch, Salz, Kardamom und Pfeffer vermengen. Joghurt und Tomatenmark zugeben und alles gut verrühren.

3 Die Hühnchenteile vorsichtig mit der Joghurt-Gewürz-Mischung vermengen.

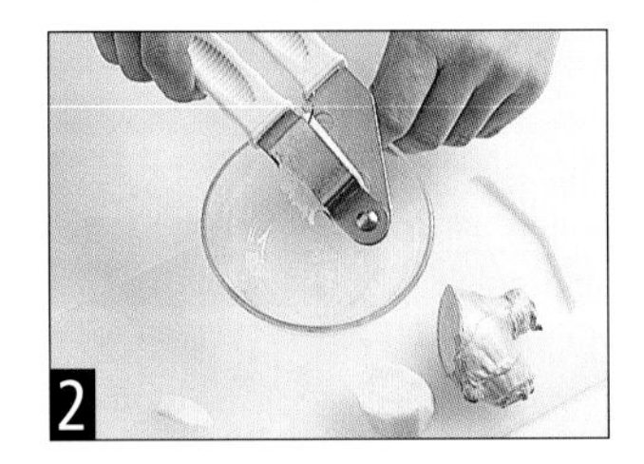
2

4 Das Fleisch mit der Joghurt-Gewürz-Mischung zu den Zwiebeln in die Pfanne geben und 5–7 Minuten unter ständigem kräftigen Rühren anbraten.

5 Wasser und Lorbeerblätter zugeben und alles 30 Minuten köcheln lassen, dabei gelegentlich umrühren.

6 Sahne einrühren und alles noch 10–15 Minuten köcheln lassen.

7 Mit Koriander und Chillies garniert heiß servieren.

2

2

Bretonischer Hühnereintopf

Für 6 Personen

500 g Bohnen (z. B. Flageolet), über Nacht eingeweicht und abgetropft
25 g Butter
2 EL Olivenöl
3 Scheiben Frühstücksspeck, gehackt
900 g Hühnerteile
1 EL Mehl
300 ml Cidre
150 ml Hühnerbrühe
Salz und Pfeffer
14 Schalotten, geschält
2 EL Honig, erwärmt
250 g Rote Bete, vorgekocht

1 Die Bohnen 25 Minuten in Wasser garen.

2 Backofen auf 160 °C vorheizen. Butter und Olivenöl in einem feuerfesten Topf erhitzen und Speck und Fleisch darin 5 Minuten anbraten.

3 Das Mehl darüber streuen und Cidre und Brühe unter Rühren zugießen, damit das Mehl nicht klumpt. Mit Salz und Pfeffer abschmecken und aufkochen.

3

4 Bohnen in den Topf geben, mit dem Deckel oder Alufolie abdecken und 2 Stunden im Ofen garen.

4

5 20 Minuten vor Ende der Garzeit den Deckel abnehmen.

6 Die Schalotten mit dem Honig in eine Pfanne geben und unter häufigem Rühren etwa 5 Minuten bei schwacher Hitze dünsten.

6

7 Schalotten und Rote Bete in den Topf geben und die restlichen 20 Minuten im Ofen mitgaren.

TIPP

Sie können für den Eintopf auch Bohnen aus der Dose verwenden. Die Bohnen abspülen, abtropfen und zum Fleisch geben.

Hühnchen-Pflaumen-Eintopf

Für 4 Personen

2 Scheiben Speck, fein gewürfelt
1 EL Sonnenblumenöl
450 g Hähnchenkeulen, ohne Haut und Knochen, geviertelt
1 Knoblauchzehe, zerdrückt
175 g Schalotten, halbiert
225 g Pflaumen, halbiert und entsteint
1 EL brauner Zucker
150 ml trockener Sherry
2 EL Pflaumensauce
450 ml Hühnerbrühe
2 EL Speisestärke, mit 4 EL Wasser angerührt
2 EL frisch gehackte glatte Petersilie, zum Garnieren
Weißbrot, als Beilage

VARIATION

Für dieses Gericht eignet sich auch mageres Puten- oder Schweinefleisch. Die Garzeit bleibt unverändert.

1 Den Speck in einer beschichteten Pfanne ohne Fett 2–3 Minuten anbraten, bis der Saft austritt. Mit einem Pfannenwender aus der Pfanne nehmen und warm stellen.

1

2 In der gleichen Pfanne das Öl erhitzen und das Hähnchenfleisch mit Knoblauch und Schalotten 4–5 Minuten unter gelegentlichem Rühren rundum bräunen.

2

3 Den Speck wieder in die Pfanne geben. Die Pflaumen zugeben. Zucker, Sherry, Pflaumensauce und Brühe einrühren, aufkochen und 20 Minuten bei geringer Hitze köcheln lassen, bis die Pflaumen weich sind und das Fleisch gar ist.

3

4 Die angerührte Speisestärke zugeben und unter Rühren 2–3 Minuten kochen, dabei eindicken lassen.

5 Das Gericht auf vorgewärmten Tellern anrichten und mit Petersilie garnieren. Weißbrot ist als Beilage ideal, um die Sauce aufzutunken.

Safran-Hühnchen-Risotto

Für 4 Personen

2 EL Sonnenblumenöl
15 g Butter oder Margarine
1 Porreestange, in dünne Scheiben geschnitten
1 große gelbe Paprika, gewürfelt
3 Hähnchenbrustfilets, gewürfelt
350 g Rundkornreis
einige Safranfäden
Salz und Pfeffer
1,5 l Hühnerbrühe
200 g Babymaiskolben
60 g geröstete ungesalzene Erdnüsse
60 g frisch geriebener Parmesan

TIPP

Risottos können ohne den Parmesan bis zu 1 Monat tiefgefroren werden, müssen aber wegen des Hühnerfleisches gründlich erhitzt werden.

1 Öl und Butter oder Margarine in einem großen Topf erhitzen. Porree und Paprika 1 Minute anbraten, das Hähnchenfilet zugeben und unter Rühren goldbraun anbraten.

2 Den Reis einrühren und 2–3 Minuten glasig braten.

1

2

3 Den Safran einrühren und die Mischung mit Salz und Pfeffer abschmecken. Die Brühe nach und nach zugießen, dann den Topf abdecken und unter gelegentlichem Rühren etwa 20 Minuten bei schwacher Hitze kochen, bis der Reis gar und die meiste Flüssigkeit aufgenommen ist. Das Risotto darf nicht austrocknen – bei Bedarf etwas mehr Brühe zugießen.

4 Mais, Erdnüsse und Parmesan einrühren und abschmecken. Heiß servieren.

4

Tandoori-Hähnchen

Für 4 Personen

8 Hähnchenunterkeulen, ohne Haut
150 g Naturjoghurt
1½ TL frischer, fein gehackter Ingwer
2 Knoblauchzehen, zerdrückt
1 TL Chilipulver
2 TL gemahlener Kreuzkümmel
2 TL gemahlener Koriander
1 TL Salz
½ TL rote Lebensmittelfarbe
1 EL Tamarindenpaste
150 ml Wasser
150 ml Öl

GARNIERUNG
Salatblätter
Zwiebelringe
Tomatenscheiben
Zitronenspalten

1 Jede Hähnchenkeule 2- bis 3-mal einschneiden.

2 Den Joghurt in eine Schüssel geben. Gut mit Ingwer, Knoblauch, Chilipulver, Kreuzkümmel, Koriander, Salz und roter Lebensmittelfarbe verrühren.

3 Die Hähnchenkeulen zur Joghurt-Gewürz-Mischung geben, mehrmals darin wenden und alles mindestens 3 Stunden im Kühlschrank marinieren.

4 Die Tamarindenpaste in einer separaten Schüssel mit dem Wasser vermischen und mit dem Fleisch vermengen. Die Keulen weitere 3 Stunden marinieren.

5 Den Backofengrill auf mittlerer Stufe vorheizen. Die Hähnchenkeulen in eine Auflaufform geben und mit Öl bestreichen. 30–35 Minuten grillen, dabei wenden und nochmals mit Öl bestreichen.

6 Tandoori-Hähnchen auf einem Salatbett anrichten und mit Zwiebelringen, Tomatenscheiben und Zitronenspalten garnieren. Dann sofort heiß servieren.

TIPP

Zu Tandoori-Hähnchen passen als Beilage vorzüglich Naan-Brot und Raita.

2

3

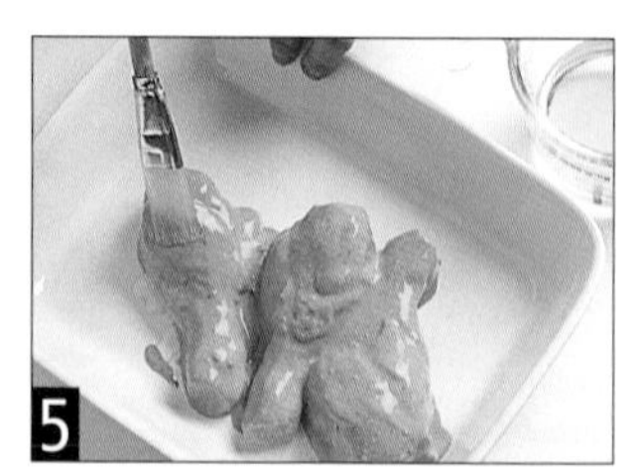
5

Französisches Madeirahuhn

Für 8 Personen

25 g Butter
20 Perlzwiebeln
250 g Karotten, in Scheiben
250 g Räucherspeck, gewürfelt
250 g Champignons
1 Poularde (ca. 1,5 kg), küchenfertig
425 ml Weißwein
25 g Mehl, mit Salz und
Pfeffer gewürzt
425 ml Hühnerbrühe
Salz und Pfeffer
1 Bouquet garni
150 ml Madeira
Kartoffelpüree oder Nudeln, als Beilage

TIPP

Dieses Rezept können Sie mit den verschiedensten Kräutern zubereiten. In der französischen Küche ist Kerbel sehr beliebt. Er sollte am besten erst kurz vor Ende der Garzeit zugegeben werden, da er sonst leicht sein Aroma verliert.

1 Die Butter in einer großen Pfanne zerlassen und Zwiebeln, Karotten, Speck und Champignons unter häufigem Rühren 3 Minuten darin dünsten. In einen großen Schmortopf geben.

2 Die Poularde in der Pfanne rundum goldbraun anbraten. Dann in den Topf auf das Gemüse geben.

3 Den Weißwein zugießen, aufkochen und fast vollständig verkochen lassen.

4 Mit dem Mehl bestreuen, ständig rühren, damit sich keine Klumpen bilden.

5 Die Hühnerbrühe zugießen, mit Salz und Pfeffer abschmecken und das Bouquet garni zufügen. Abgedeckt 2 Stunden kochen. Etwa 30 Minuten vor Ende der Garzeit den Madeira zugießen und ohne Deckel fertig kochen.

6 Die Poularde tranchieren und mit Kartoffelpüree oder Nudeln als Beilage servieren.

Rustikaler Hühnertopf

Für 4 Personen

4 Hühnerviertel
6 Kartoffeln
Salz und Pfeffer
2 Thymianzweige
2 Rosmarinzweige
2 Lorbeerblätter
200 g Räucherspeck, gewürfelt
1 große Zwiebel, fein gehackt
200 g Karotten, in Scheiben
150 ml Dunkelbier
25 g Butter, zerlassen

TIPP

Mit den Rosmarinklößen (s. S. 108) gelingt dieser Hühnertopf noch deftiger.

1 Den Backofen auf 150 °C vorheizen. Die Hühnerkeulen nach Wunsch von Haut befreien. Die Kartoffeln schälen und in 5 mm dünne Scheiben schneiden.

2 Den Boden einer großen Kasserolle mit einer Lage Kartoffelscheiben bedecken. Mit Salz, Pfeffer, Thymian, Rosmarin und Lorbeerblättern würzen.

3 Die Hühnerteile auflegen und mit Speckwürfeln, Zwiebel und Karotten bedecken. Kräftig würzen und mit den restlichen Kartoffelscheiben so bedecken, dass sie einander leicht überlappen.

4 Mit Bier übergießen. Die Kartoffeln mit der Butter bestreichen und die Kasserolle abdecken.

5 Die Kasserolle 2 Stunden garen, dann ohne Deckel weitere 30 Minuten garen, bis die Kartoffeln gebräunt sind. Heiß servieren.

Hühnchen-Bauerntopf

Für 4 Personen

- 2 EL Sonnenblumenöl
- 4 Hühnerteile
- 16 kleine Zwiebeln, geschält
- 3 Selleriestangen, in Scheiben geschnitten
- 400 g Kidneybohnen aus der Dose
- 4 Tomaten, geviertelt
- 200 ml trockener Cidre oder Hühnerbruhe
- 4 EL frisch gehackte Petersilie
- Salz und Pfeffer
- 1 TL Paprikapulver
- 60 g Butter
- 12 Scheiben Baguette

TIPP

Die Petersilienbutter kann auch mit Knoblauch verfeinert werden.

1 Backofen auf 200 °C vorheizen. Das Öl in einem feuerfesten Topf erhitzen und je zwei Hühnerteile rundum goldbraun anbraten. Mit einem Schaumlöffel herausheben und beiseite stellen.

2 Die Zwiebeln in den Topf geben und unter gelegentlichem Rühren goldbraun anbraten. Den Sellerie zufügen und alles weitere 2–3 Minuten garen. Das Fleisch wieder zugeben und Bohnen, Tomaten, Cidre oder Brühe, die Hälfte der Petersilie, Salz und Pfeffer zufügen und rühren. Mit Paprika bestreuen.

2

2

3 Den Topf abdecken und alles 25 Minuten garen, bis beim Anstechen des Fleisches klarer Saft austritt.

4 Die restliche Petersilie in die Butter einarbeiten und das Brot damit bestreichen. Den Topf öffnen, den Eintopf mit überlappenden Baguettescheiben belegen und weitere 10–12 Minuten überbacken.

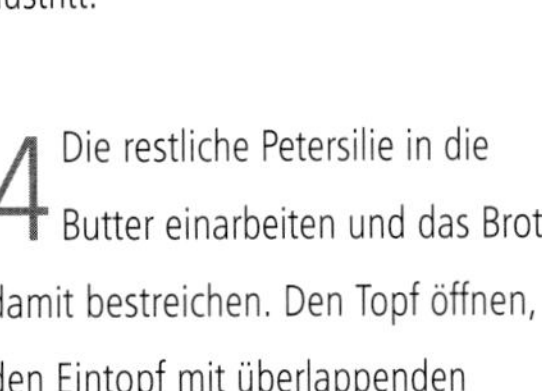

4

Scharfe Hähnchenschenkel

Für 4 Personen

50 g gemahlene Mandeln

50 g Kokosraspel

150 ml Öl

1 Zwiebel, fein gehackt

1 TL Chilipulver

1 TL frischer, fein gehackter Ingwer

1 große Knoblauchzehe, zerdrückt

1½ TL Garam masala

1 TL Salz

150 g Naturjoghurt

4 Hähnchenschenkel, ohne Haut

grüner Salat, zum Servieren

GARNIERUNG

frisch gehackter Koriander

1 Zitrone, in Spalten geschnitten

1 Backofen auf bei 160 °C vorheizen. Mandeln und Kokosraspel in einer Pfanne kurz ohne Fett anrösten und beiseite stellen.

1

2 Das Öl in einer Pfanne erhitzen und die Zwiebel darin anbraten.

3 Chilipulver, Ingwer, Knoblauch, Garam masala und Salz in eine Schüssel geben und mit dem Joghurt verrühren. Mandeln und Kokosraspel unterziehen.

3

4 Die Zwiebel zur Joghurt-Gewürz-Mischung geben, unterrühren und die Mischung beiseite stellen.

5 Hähnchenschenkel in eine Auflaufform legen und die Joghurt-Gewürz-Mischung darüber verteilen.

5

6 35–40 Minuten im Ofen backen. Wenn bei der Garprobe mit einem Spieß klarer Bratensaft austritt, sind die Hähnchenschenkel gar. Mit Koriander und Zitronenspalten garnieren und mit grünem Salat servieren.

TIPP

Für eine schärfere Variante mehr Chilipulver und Garam masala zugeben.

Hühnchen mit Perlzwiebeln und Erbsen

Für 4 Personen

250 g Speck, fein gewürfelt
60 g Butter
16 Perlzwiebeln oder Schalotten, geschält
1 kg Hühnerteile, ohne Knochen
25 g Mehl
600 ml Hühnerbrühe
1 Bouquet garni
500 g frische Erbsen
Salz und Pfeffer

TIPP

Eine fettärmere Variante können Sie mit magerem Schinken zubereiten.

1 Den Speck 3 Minuten in einem Topf mit kochendem Salzwasser blanchieren, abgießen und auf Küchenpapier abtropfen lassen.

2 Backofen auf 200 °C vorheizen. Butter in einer Pfanne zerlassen, Speck und Zwiebeln zugeben und unter Rühren 3 Minuten anbräunen.

2

3 Den Speck und die Zwiebeln aus der Pfanne nehmen und beiseite stellen. Die Hühnerteile in die Pfanne geben und rundum goldbraun anbraten. Dann den Pfanneninhalt in einen feuerfesten Topf geben.

4 Das Mehl in die Pfanne geben und unter ständigem Rühren leicht anbräunen. Anschließend die Hühnerbrühe langsam zugießen und gründlich verrühren.

4

5 Sauce und Bouquet garni zum Fleisch geben und 25 Minuten im Ofen garen.

6 Das Bouquet garni herausnehmen. Erbsen, Speck und Zwiebeln zugeben, untermengen und weitere 10 Minuten garen. Nach Geschmack salzen und pfeffern.

6

7 Das Fleisch mit Speck, Erbsen und Zwiebeln auf einem Servierteller anrichten.

Jamaikanischer Hühnereintopf

Für 4 Personen

2 EL Sonnenblumenöl
4 Hähnchenunterschenkel
4 Hähnchenoberschenkel
1 Zwiebel
750 g Kürbis
1 grüne Paprika
1,5-cm-Stück frischer Ingwer, fein gehackt
400 g Tomaten aus der Dose, gewürfelt
300 ml Hühnerbrühe
60 g rote Linsen
Knoblauchsalz
Cayennepfeffer
350 g Mais aus der Dose
frisches Baguette, zum Servieren

VARIATION

Wenn kein frischer Ingwer erhältlich ist, können Sie für ein herzhafteres Aroma auch 1 TL Piment zugeben. Statt Kürbis können auch Steckrüben verwendet werden.

1 Das Öl in einem großen Topf erhitzen und das Hähnchenfleisch darin unter häufigem Wenden rundum goldbraun anbraten.

2 Backofen auf 190 °C vorheizen. Die Zwiebel schälen und mit einem scharfen Messer in Ringe schneiden. Den Kürbis schälen und würfeln. Die Paprika entkernen und in Streifen schneiden.

3 Überschüssiges Fett aus dem Topf abgießen. Zwiebel, Kürbis und Paprika zugeben und einige Minuten leicht anbraten. Ingwer, Tomaten, Hühnerbrühe und Linsen zufügen und mit Knoblauchsalz und Cayennepfeffer leicht würzen.

4 Alles abgedeckt 1 Stunde im Ofen garen, bis das Gemüse weich ist und beim Anstechen des Fleisches klarer Saft austritt.

5 Den Mais zugeben und alles noch 5 Minuten garen. Würzen und mit Baguettebrot servieren.

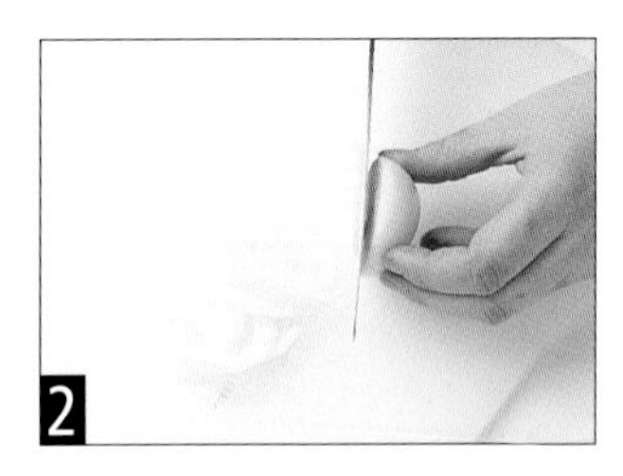
2

2

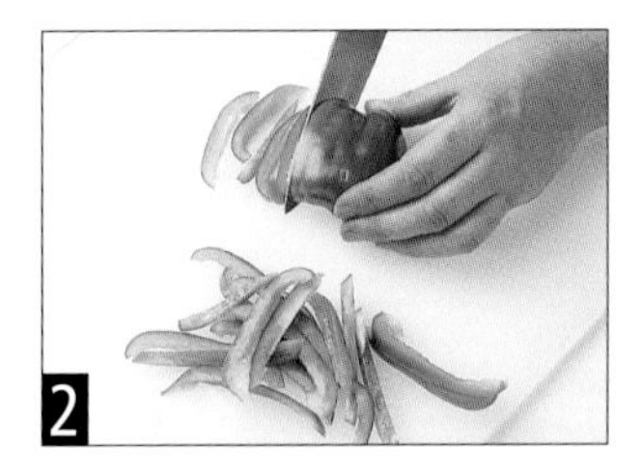
2

Mediterraner Hühnertopf

Für 4 Personen

8 Hähnchenoberschenkel, ohne Haut
2 EL Olivenöl
1 rote Zwiebel, in Ringe geschnitten
2 Knoblauchzehen, zerdrückt
1 große rote Paprika, in dünne Streifen geschnitten
abgeriebene Schale und Saft von 1 kleinen Orange
125 ml Hühnerbrühe
400 g Tomaten aus der Dose, gewürfelt
25 g sonnengetrocknete Tomaten, in dünne Streifen geschnitten
1 EL frisch gehackter Thymian
50 g entsteinte schwarze Oliven
Salz und Pfeffer
Thymianzweige und Orangenzesten, zum Garnieren
Baguette, zum Servieren

TIPP

Der intensive Gechmack sonnengetrockneter Tomaten verleiht Eintöpfen ein herrliches Aroma.

1 Die Hähnchenschenkel unter gelegentlichem Wenden in einer großen beschichteten Pfanne ohne Fett bei starker Hitze rundum goldbraun anbraten. Mit einem Schaumlöffel aus der Pfanne heben, überschüssiges Fett abtropfen lassen und in einen Topf geben.

2 Öl, Zwiebel, Knoblauch und Paprika in die Pfanne geben und 3–4 Minuten bei mittlerer Hitze andünsten. In den Topf geben.

3 Orangenschale und -saft, Brühe, Tomaten aus der Dose und sonnengetrocknete Tomaten zufügen und gründlich verrühren.

4 Aufkochen und abgedeckt unter gelegentlichem Rühren etwa 1 Stunde bei schwacher Hitze köcheln lassen. Den Thymian und die Oliven zufügen und kräftig mit Salz und Pfeffer abschmecken.

5 Mit Thymian und Orangenzesten garnieren und mit Baguette als Beilage servieren.

1

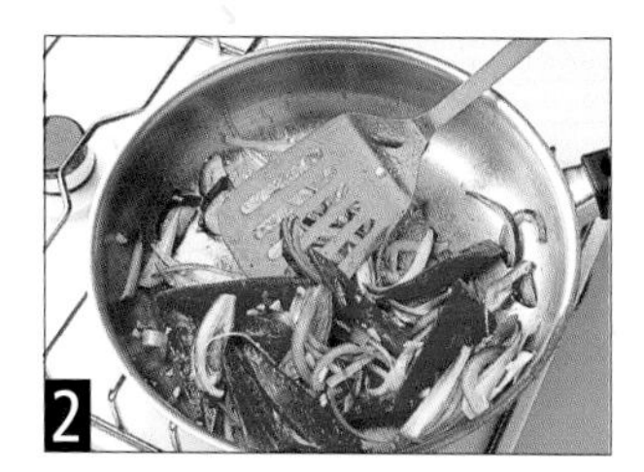

2

3

Orangen-Sesam-Huhn

Für 4 Personen

2 EL Sonnenblumenöl

1 Poularde (ca. 1,5 kg), küchenfertig

2 große Orangen

2 kleine Zwiebeln, geviertelt

500 g kleine Karotten, in 5 cm lange Stücke geschnitten

Salz und Pfeffer

150 ml Orangensaft

2 EL Weinbrand

2 EL Sesamsaat

1 EL Speisestärke

VARIATION

Für einen frischeren Zitrusgeschmack können Sie Zitronen anstelle der Orangen verwenden. Geben Sie dann noch einen Thymianzweig zu.

1 Den Backofen auf 180 °C vorheizen. Das Öl in einem großen feuerfesten Topf erhitzen und die Poularde unter mehrfachem Wenden rundum goldbraun anbraten.

2 Eine Orange halbieren und eine Hälfte in die Poularde stecken. Die Poularde in einen großen Bräter geben und das Gemüse zufügen.

3 Das Huhn kräftig mit Salz und Pfeffer würzen und mit dem Orangensaft übergießen.

4 Die restlichen Orangen in Spalten schneiden und zur Poularde in den Bräter geben.

5 Die Poularde abgedeckt 1½ Stunden im Ofen backen, bis die Poularde gar ist und beim Anstechen klarer Fleischsaft austritt. Deckel abnehmen, mit dem Weinbrand übergießen, mit Sesam bestreuen und 10 Minuten weitergaren.

6 Die Poularde auf einen Servierteller legen und das Gemüse außen herum anrichten. Das Fett vom Bratensaft abschöpfen. Die Speisestärke mit 1 Esslöffel Wasser verrühren, in den Bratensaft geben und die Mischung unter Rühren aufkochen. Sauce mit Salz und Pfeffer abschmecken und zur Poularde servieren.

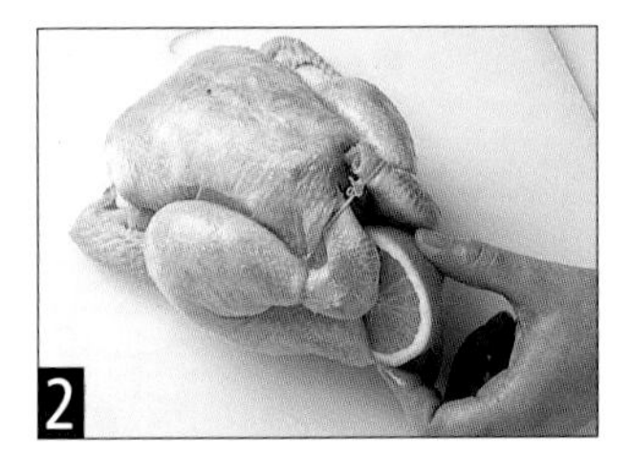

2

3

4

Karibisches Huhn

Für 4 Personen

8 Hähnchenunterkeulen, ohne Haut

2 Limetten

1 TL Cayennepfeffer

2 Mangos

1 EL Sonnenblumenöl

2 EL brauner Zucker

GARNIERUNG

Limettenspalten

Korianderzweige

2 EL Kokosraspel (nach Belieben)

TIPP

Reife Mangos können verschiedene Färbungen von Grün bis Rosarot haben. Auch das Fruchtfleisch kann von Gelb bis Orange variieren. Wählen Sie eine Mango, die bei Fingerdruck etwas nachgibt.

1 Die Hähnchenunterkeulen mehrfach quer einschneiden und in eine große Schüssel geben.

2 Die Limettenschale dünn abreiben und beiseite stellen.

3 Die Limetten auspressen und den Saft über das Fleisch träufeln. Mit dem Cayennepfeffer bestreuen. Abdecken und mindestens 2 Stunden oder über Nacht im Kühlschrank kalt stellen.

3

4 Die Mangos schälen und halbieren. Die Steine auslösen, das Fruchtfleisch in Streifen schneiden.

4

5 Die Unterkeulen mit einem Schaumlöffel aus der Marinade heben. Die Marinade aufbewahren. Das Öl in einer Pfanne erhitzen und das Fleisch unter glegentlichem Wenden rundum goldbraun anbraten. Marinade, Limettenschale, Mangostreifen und Zucker einrühren.

5

6 Abdecken und 15 Minuten unter Rühren köcheln lassen. Mit Limettenspalten und frischen Korianderzweigen garnieren. Nach Geschmack mit Kokosraspeln bestreuen und servieren.

Gemüse

Gemüse ist ein wichtiger Bestandteil gesunder Ernährung. Gemüsegerichte müssen dabei ganz und gar nicht langweilig und fade schmecken – im Gegenteil. In diesem Kapitel finden Sie eine große Auswahl köstlicher, vielseitiger Gemüsegerichte – Suppen, Aufläufe, Risottos, Eintöpfe und Currys. Bohnen, Erbsen, Linsen, Brokkoli, Blumenkohl, Pilze, Paprika, Zwiebeln, Zucchini, Tomaten und selbst die einfache Kartoffel können zu frischen, aromatischen Gerichten kombiniert werden. Natürlich gehört zu jedem Gemüsegericht auch eine sättigende Beilage, wie etwa Nudeln oder Reis. Mit vegetarischen Hauptgerichten bringen sie köstliche, meistens preiswerte Abwechslung in Ihren Speiseplan, und da Gemüse in der Regel schnell gart, sind sie auch gar nicht zeitaufwändig – vegetarische Küche köstlicher denn je!

Mediterrane Suppe mit geröstetem Gemüse

Für 6 Personen

2–3 EL Olivenöl

700 g reife Tomaten, gehäutet, entkernt und halbiert

3 große gelbe Paprika, halbiert

3 Zucchini, längs halbiert

1 kleine Aubergine, längs halbiert

4 Knoblauchzehen, halbiert

2 Zwiebeln, in Achtel geschnitten

Salz und Pfeffer

1 Prise getrockneter Thymian

1 l Hühner-, Gemüse- oder Rinderbrühe

125 g Schlagsahne

frisch gehacktes Basilikum, zum Garnieren

1 Backofen auf 190 °C vorheizen. Einen großen Bräter mit Olivenöl einpinseln. Tomaten, Paprika, Zucchini und Aubergine nebeneinander mit der Schnittfläche nach unten hineinlegen. Ggf. zwei Bräter benutzen. Knoblauchzehen und Zwiebeln in die Lücken legen, das Gemüse mit Olivenöl beträufeln. Leicht salzen und pfeffern und mit Thymian bestreuen.

2 Im Backofen ohne Deckel 30–35 Minuten backen, bis das Gemüse weich ist und braune Ränder bekommt. Abkühlen lassen, dann das Fleisch aus den Auberginen löffeln und die Haut der Paprika abziehen.

3 Auberginen- und Paprikafleisch zusammen mit den Zucchini mit dem Pürierstab oder im Mixer grob zerkleinern. Alternativ das Gemüse mit einem Messer grob hacken.

4 Brühe und gehacktes Gemüse in einen Topf geben und bei mittlerer Hitze 20–30 Minuten köcheln lassen, bis das Gemüse weich ist.

5 Die Sahne einrühren und bei geringer Hitze 5 Minuten erwärmen, dabei ab und zu rühren. Bei Bedarf nachwürzen. Auf vorgewärmte Teller füllen, mit gehacktem Basilikum garnieren und servieren.

1

4

Toskanische Bohnen-Gemüse-Suppe

Für 4 Personen

1 Zwiebel, gehackt
1 Knoblauchzehe, fein gehackt
2 Selleriestangen, in Scheiben geschnitten
1 große Karotte, gewürfelt
400 g Tomaten aus der Dose, gewürfelt
150 ml trockener Rotwein
1,2 l Gemüsebrühe
1 TL getrockneter Oregano
200 g Bohnen aus der Dose
200 g Linsen aus der Dose
2 Zucchini, gewürfelt
1 EL Tomatenmark
Salz und Pfeffer
ZUM SERVIEREN
Pesto (s. S. 141)
Baguette

TIPP

Die Suppe wird gehaltvoller, wenn Sie in Schritt 3 noch 350 g gegartes und gewürfeltes Hühner- oder Putenfleisch zugeben.

1 Zwiebel, Knoblauch, Sellerie und Karotte in einen großen Topf geben. Tomaten, Rotwein, Gemüsebrühe und Oregano unterrühren.

2 Die Gemüsemischung aufkochen und 15 Minuten leicht köcheln lassen. Bohnen, Linsen und Zucchini zugeben und ohne Deckel weitere 5 Minuten kochen.

3 Tomatenmark einrühren, mit Salz und Pfeffer kräftig abschmecken. Unter ständigem Rühren nochmals 2–3 Minuten erhitzen, aber nicht mehr kochen.

4 Die Suppe auf vorgewärmte Teller geben, mit je einem Löffel Pesto garniert und mit reichlich Baguette servieren.

Toskanische Zwiebelsuppe

Für 4 Personen

50 g Pancetta, gewürfelt (s. Tipp)
1 EL Olivenöl
4 große weiße Zwiebeln, in feine Ringe geschnitten
3 Knoblauchzehen, zerdrückt
850 ml heiße Hühner- oder Fleischbrühe
4 Scheiben Ciabatta
50 g Butter
75 g frisch geriebener Gruyère oder Emmentaler
Salz und Pfeffer

1 Die Speckwürfel in einer Pfanne 3–4 Minuten anbräunen. Dann herausnehmen und beiseite stellen.

2 Das Öl in die Pfanne geben, Zwiebeln und Knoblauch zufügen und bei starker Hitze 4 Minuten braten. Dann die Hitze reduzieren, die Pfanne abdecken und das Gemüse etwa 15 Minuten dünsten, bis es sehr weich ist.

3 Die Brühe zugießen und aufkochen. Dann die Hitze reduzieren und die Zwiebel-Mischung abgedeckt etwa 10 Minuten köcheln lassen.

4 Die Ciabattascheiben unter einem heißen Grill 2–3 Minuten leicht rösten. Mit Butter bestreichen, mit Käse bestreuen und in mundgerechte Stücke schneiden.

5 Den angebratenen Pancetta in die Suppe geben und diese mit Salz und Pfeffer abschmecken. Auf Suppenteller verteilen und mit den vorbereiteten Brotstücken garnieren.

1

2

4

TIPP

Pancetta ist luftgetrockneter, gesalzener italienischer Speck. Er kann durch luftgetrockneten Schinken ersetzt werden.

Gemüsesuppe mit Basilikum-Pesto

Für 6 Personen

1 EL Olivenöl
1 Zwiebel, fein gehackt
1 große Porreestange, in feine Ringe geschnitten
1 Selleriestange, in dünnen Scheiben
1 Karotte, geviertelt und in dünne Scheiben geschnitten
1 Knoblauchzehe, fein gehackt
1,4 l Wasser
1 Kartoffel, gewürfelt
1 Pastinake, fein gewürfelt
1 Kohlrabi, gewürfelt
150 g grüne Bohnen, in kleine Stücke geschnitten
150 g Erbsen
2 kleine Zucchini, längs geviertelt und in Scheiben geschnitten
400 g Flageolet-Bohnen aus der Dose, abgespült und abgetropft
Salz und Pfeffer
100 g frischer Spinat, in schmale Streifen geschnitten

PESTO
1 Knoblauchzehe, fein gehackt
15 g frisches Basilikum
75 g frisch geriebener Parmesan
4 EL natives Olivenöl extra

2

4

1 Das Öl bei mittlerer Hitze in einem Topf erwärmen. Zwiebel und Porree zugeben und etwa 5 Minuten weich dünsten. Gelegentlich umrühren. Sellerie, Karotte und Knoblauch zugeben und weitere 5 Minuten unter Rühren dünsten.

2 Wasser, Kartoffel, Pastinake, Kohlrabi und Bohnen zugeben und aufkochen. Die Hitze reduzieren und die Mischung 5 Minuten leicht köcheln lassen.

3 Erbsen, Zucchini und Flageolet-Bohnen zugeben, kräftig mit Salz und Pfeffer würzen. Den Topf abdecken und 25 Minuten kochen, bis das Gemüse weich ist.

4 Für den Pesto Knoblauch, Basilikum und Parmesan in den Mixer geben und mit dem Olivenöl zu einer glatten Paste verarbeiten. Alternativ den Pesto im Mörser zubereiten.

5 Den Spinat zugeben und 5 Minuten köcheln lassen. Die Suppe abschmecken, 1 Esslöffel Pesto einrühren. Auf vorgewärmten Tellern servieren. Restlichen Pesto separat reichen.

Gemüsesuppe mit Cannellini

Für 4 Personen

1 kleine Aubergine
2 große Tomaten
1 Kartoffel, geschält
1 Möhre, geschält
1 Porreestange
420 g Cannellini-Bohnen aus der Dose
850 ml heiße Gemüse- oder Hühnerbrühe
2 TL getrocknetes Basilikum
10 g getrocknete Steinpilze, 10 Minuten in warmem Wasser eingeweicht
50 g Vermicelli
3 EL Pesto (s. S. 141)
frisch geriebener Parmesan, zum Servieren

1 Die Aubergine in 1 cm breite Scheiben schneiden und diese vierteln.

2 Die Tomaten und die Kartoffel fein würfeln. Die Möhre in etwa 2,5 cm lange Stifte, den Porree in feine Ringe schneiden.

3 Die Cannellini mit Saft in einen großen Topf geben und alles gründlich mit der Aubergine, den Tomaten, der Kartoffel, der Möhre und dem Porree vermengen.

4 Die Brühe zugießen und aufkochen. Die Hitze reduzieren und das Gemüse 15 Minuten köcheln lassen.

5 Basilikum, Pilze mit Einweichwasser und Vermicelli zugeben und die Suppe weitere 5 Minuten köcheln lassen, bis das gesamte Gemüse gar ist.

6 Den Topf vom Herd nehmen und den Pesto einrühren. Die fertige Suppe nach Belieben mit frisch geriebenem Parmesan servieren.

2

3

TIPP

Getrocknete und eingeweichte Steinpilze verleihen Speisen ein sehr intensives Aroma. Daher reicht eine kleine Menge dieser teuren Delikatesse völlig aus, um Suppen oder Risottos zu verfeinern.

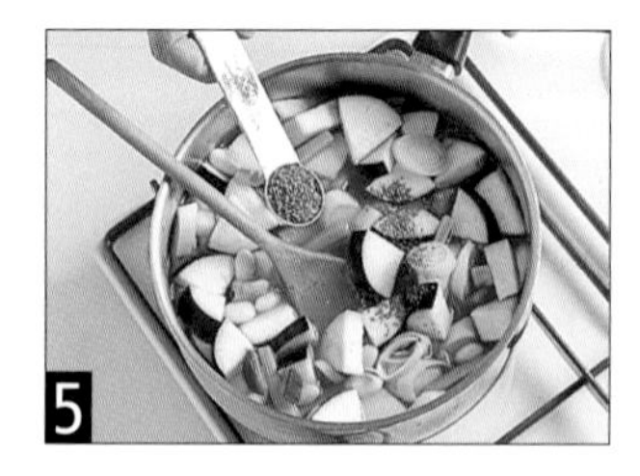
5

Linsensuppe mit Nudeln

Für 4 Personen

4 Scheiben durchwachsener Speck, grob gewürfelt
1 Zwiebel, gehackt
2 Knoblauchzehen, zerdrückt
1 Selleriestange, in Scheiben geschnitten
50 g Farfalline oder Spaghetti, in kleine Stücke gebrochen
400 g braune Linsen aus der Dose, abgetropft
1,2 l Fleisch- oder Gemüsebrühe
2 EL frisch gehackte Minze

1 Speck, Zwiebel, Knoblauch und Sellerie in eine große Pfanne geben und 4–5 Minuten anbraten, bis die Zwiebel glasig und der Speck leicht gebräunt ist.

2 Farfalline oder Spaghetti zugeben und etwa 1 Minute in der Pfanne rühren.

TIPP

Falls getrocknete Linsen verwendet werden, geben Sie diese mit der Brühe in die Pfanne und lassen sie 1–1¼ Stunden garen. Erst dann werden die Nudeln zugefügt.

VARIATION

Die Suppe kann mit jeder beliebigen Pastasorte zubereitet werden.

3 Linsen und Brühe zufügen und aufkochen lassen. Dann die Hitze reduzieren und die Suppe 12–15 Minuten köcheln lassen oder bis die Nudeln bissfest sind.

4 Die Pfanne vom Herd nehmen und die Minze einrühren.

5 Die fertige Suppe in vorgewärmte Schalen geben und sofort servieren.

1

2

3

Linsensuppe mit Gemüse und Nudeln

Für 4 Personen

1 EL Olivenöl
1 Zwiebel, gehackt
4 Knoblauchzehen, fein gehackt
350 g Karotten, in Scheiben
1 Selleriestange, in Scheiben geschnitten
225 g rote Linsen
600 ml Gemüsebrühe
700 ml kochendes Wasser
Salz und Pfeffer
150 g Nudeln
150 g Naturjoghurt
1 EL frisch gehackte Petersilie, zum Garnieren

1 Das Öl in einem großen Topf erhitzen. Zwiebel, Knoblauch, Karotten und Sellerie unter Rühren 5 Minuten andünsten.

2 Linsen, Brühe und kochendes Wasser zugeben. Mit Salz und Pfeffer würzen, wieder erwärmen und ohne Deckel 15 Minuten leicht kochen. 10 Minuten abkühlen lassen.

TIPP

Nach der Zugabe des Joghurts sollten Sie die Suppe nicht mehr kochen, da sie sonst ausflockt.

3 Unterdessen in einem zweiten Topf Wasser aufkochen und die Nudeln gemäß Packungsanweisung garen. Abgießen und beiseite stellen.

4 Die Suppe im Mixer pürieren. Mit den Nudeln wieder in den Topf geben. Erwärmen und 2–3 Minuten leicht kochen. Vom Herd nehmen und den Joghurt einrühren. Eventuell nachwürzen.

5 Die Suppe mit Petersilie bestreuen und servieren.

2

4

4

Bohnensuppe mit Nudeln

Für 4 Personen

250 g getrocknete weiße Bohnen, über Nacht in kaltem Wasser eingeweicht und abgetropft
4 EL Olivenöl
2 große Zwiebeln, in Spalten geschnitten
3 Knoblauchzehen, gehackt
400 g Tomaten aus der Dose, gewürfelt
1 TL getrockneter Oregano
1 TL Tomatenmark
1 l Wasser
100 g Fusilli oder Conchigliette
Salz und Pfeffer
120 g sonnengetrocknete Tomaten, abgetropft und in dünne Streifen geschnitten
1 EL frisch gehackter Koriander oder frisch gehackte glatte Petersilie
2 EL frisch gehobelter Parmesan, zum Servieren

1 Die Bohnen in einem großen Topf aufkochen. 20 Minuten sprudelnd kochen lassen, abgießen und warm stellen.

2 Das Öl in einem Topf bei mittlerer Temperatur erhitzen. Die Zwiebeln 3 Minuten glasig dünsten. Den Knoblauch zugeben und kurz anbraten. Tomaten, Oregano und Tomatenmark unterrühren.

3 Die Bohnen und das Wasser zugeben. Aufkochen, abdecken und 45 Minuten köcheln lassen, bis die Bohnen fast gar sind.

TIPP

Parmesan ist auch fertig gerieben erhältlich, doch den unvergleichlich aromatischen Geschmack verleihen dem Gericht nur frische Hobel vom ganzen Stück.

4 Die Nudeln zugeben und die Suppe abschmecken. Die getrockneten Tomaten einrühren, wieder aufkochen, halb abdecken und 10 Minuten köcheln lassen, bis die Nudeln bissfest sind.

5 Koriander oder Petersilie in die Suppe rühren. Die Suppe in vorgewärmte Schalen geben, mit Parmesan bestreuen und servieren.

Erbsen-Nudel-Suppe mit Parmesan-Croûtons

Für 4 Personen

3 Scheiben durchwachsener Räucherspeck, gewürfelt
1 große Zwiebel, gehackt
15 g Butter
400 g getrocknete Erbsen, 2 Stunden in kaltem Wasser eingeweicht und abgetropft
2,5 l Hühnerbrühe
Salz und Pfeffer
250 g Eiernudeln
150 g Crème double
frisch gehackte Petersilie, zum Garnieren
Parmesan-Croûtons (s. Tipp), zum Servieren

1 Speck, Zwiebel und Butter in einem großen Topf 6 Minuten bei schwacher Hitze braten.

2 Erbsen und Brühe zugeben und aufkochen. Leicht mit Salz und Pfeffer abschmecken, abdecken und 1½ Stunden köcheln lassen.

3 Die Nudeln in den Topf geben und 15 Minuten garen.

4 Die Crème double einrühren. Die Mischung auf Suppenteller geben, mit Petersilie garnieren und mit Parmesan-Croûtons (s. Tipp) belegen. Sofort servieren.

1

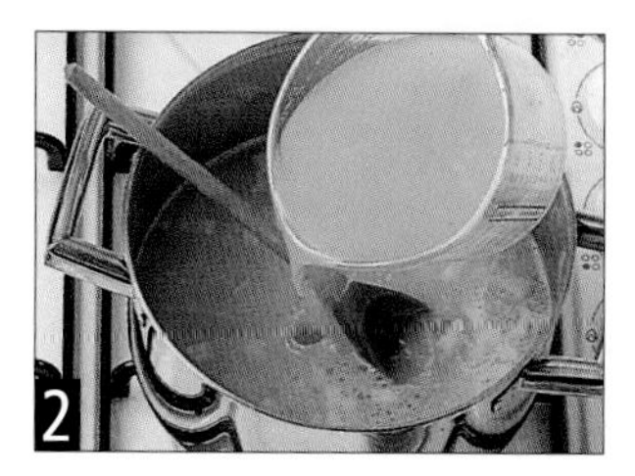
2

3

TIPP

Für die Parmesan-Croûtons ein Baguette in Scheiben schneiden. Jede Scheibe mit Olivenöl bestreichen und mit Parmesan bestreuen. 30 Sekunden grillen.

Kartoffelsuppe mit Apfel und Rucola

Für 4 Personen

50 g Butter

900 g fest kochende Kartoffeln, gewürfelt

1 rote Zwiebel, geviertelt

1 EL Zitronensaft

1 l Hühnerbrühe

450 g Äpfel, geschält und gewürfelt

1 Prise Piment

50 g Rucola, plus etwas mehr zum Garnieren

Salz und Pfeffer

GARNIERUNG

Apfelscheiben

frische gehackte Frühlingszwiebel

frisches Brot, zum Servieren

TIPP

Alternativ zum Rucola können Sie für diese Suppe auch jungen Spinat verwenden.

1 Die Butter in einem großen Topf zerlassen, Kartoffeln und Zwiebel zugeben. Auf niedriger Stufe unter ständigem Rühren 5 Minuten dünsten.

2 Zitronensaft, Hühnerbrühe, Apfelwürfel und Piment zugeben.

3 Die Mischung aufkochen, dann abgedeckt bei geringer Hitze 15 Minuten köcheln lassen.

4 Den Rucola zugeben und weitere 10 Minuten schwach kochen, bis die Kartoffeln gar sind.

1

5 Die Hälfte der Suppe im Mixer oder in der Küchenmaschine pürieren. Das Püree in die restliche Suppe einrühren.

6 Mit Salz und Pfeffer abschmecken, auf vorgewärmte Suppenteller geben und mit Apfelscheiben, Frühlingszwiebel und Rucola garnieren. Mit Brot servieren.

2

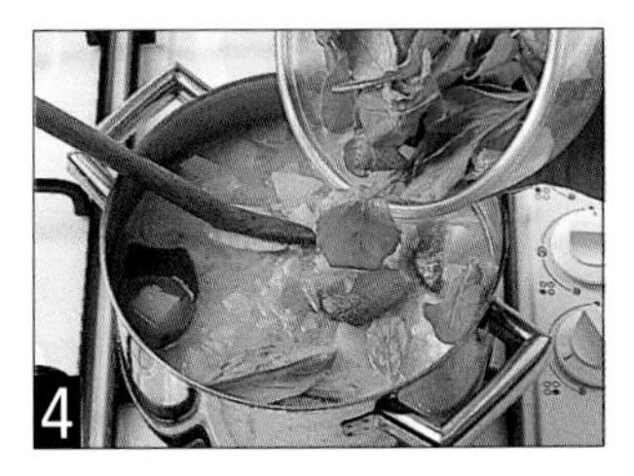
4

Süßkartoffel-Zwiebel-Suppe

Für 4 Personen

2 EL Öl
900 g Süßkartoffeln, gewürfelt
1 Karotte, gewürfelt
2 Zwiebeln, in Ringe geschnitten
2 Knoblauchzehen, zerdrückt
600 ml Gemüsebrühe
300 ml Orangensaft
225 g Naturjoghurt
2 EL frisch gehackter Koriander
Salz und Pfeffer
GARNIERUNG
frische Korianderzweige
Orangenschale, in dünne Streifen geschnitten

1 Das Öl in einem großen Topf erhitzen, Süßkartoffeln und Karotte, Zwiebeln und Knoblauch zugeben. 5 Minuten unter ständigem Rühren andünsten.

2 Gemüsebrühe und Orangensaft zugießen und aufkochen.

3 Die Hitze reduzieren und das Gemüse 20 Minuten abgedeckt köcheln lassen.

4 Portionsweise im Mixer oder in der Küchenmaschine pürieren. Das Püree wieder in den ausgespülten Topf geben.

TIPP

Wenn die Suppe gekühlt serviert werden soll, den Joghurt erst kurz vor dem Verzehr einrühren und die Suppe in gekühlten Suppentellern reichen.

5 Joghurt und Koriander zufügen, nach Geschmack würzen.

6 Die Suppe mit Korianderzweigen und Orangenschale garnieren und servieren.

Kartoffelsuppe mit Mais und Käse

Für 4 Personen

25 g Butter
2 Schalotten, fein gehackt
225 g Kartoffeln, gewürfelt
4 EL Mehl
2 EL trockener Weißwein
300 ml Milch
Salz
325 g Mais aus der Dose, abgetropft
85 g frisch geriebener Gruyère, Emmentaler oder Gouda
8–10 frisch gehackte Salbeiblätter
425 g Crème double
frische Salbeizweige, zum Garnieren
CROÛTONS
2–3 Scheiben altbackenes Weißbrot
2 EL Olivenöl

1 Für die Croûtons zunächst das Brot von der Rinde befreien und dann in etwa 5 mm große Würfel schneiden. Das Olivenöl in einer Pfanne erhitzen und die Brotwürfel darin von allen Seiten goldbraun anbraten. Anschließend aus der Pfanne nehmen, auf Küchenpapier abtropfen lassen und beiseite stellen.

2 Die Butter in einem großen Topf zerlassen und die Schalotten darin bei geringer Hitze unter gelegentlichem Rühren etwa 5 Minuten weich dünsten. Die Kartoffeln zufügen und unter Rühren 2 Minuten mitdünsten.

3 Die Kartoffel-Zwiebel-Mischung mit Mehl bestäuben und 1 weitere Minute unter Rühren dünsten. Den Topf vom Herd nehmen und den Wein zugießen, dann nach und nach die Milch einrühren. Salzen und unter Rühren erneut aufkochen.

4 Die Hitze reduzieren, dann Mais, Käse, gehackten Salbei und Crème double einrühren. Leicht erhitzen, bis der Käse geschmolzen ist. Die Suppe auf vorgewärmte Schalen verteilen, mit Croûtons und je einem Salbeizweig garnieren und servieren.

TIPP

Achten Sie bei der Zubereitung der Croûtons darauf, dass das Öl sehr heiß ist, bevor Sie die Brotwürfel in die Pfanne geben, sonst werden sie weich.

2

3

4

Brokkolisuppe mit Frischkäse

Für 4 Personen

400 g Brokkoli

2 TL Butter

1 TL Öl

1 Zwiebel, fein gehackt

1 Porreestange, in dünne Ringe geschnitten

1 kleine Karotte, fein gewürfelt

3 EL Langkornreis

850 ml Wasser

1 Lorbeerblatt

Salz und Pfeffer

frisch geriebene Muskatnuss

4 EL Crème double

100 g Frischkäse

Croûtons, zum Garnieren (s. S. 151)

1 Den Brokkoli in Röschen zerteilen und die Stiele abschneiden. Große Stiele schälen, anschließend würfeln.

2 Butter und Öl in einem großen Topf bei mittlerer Hitze zerlassen. Zwiebel, Porree und Karotte zugeben und 3–4 Minuten garen, bis das Gemüse weich wird. Dabei gelegentlich umrühren.

3 Brokkolistiele, Reis, Wasser, Lorbeerblatt und eine Prise Salz zugeben. Kurz aufkochen, dann die Hitze reduzieren und abgedeckt 15 Minuten leicht kochen, bis das Gemüse und der Reis weich sind. Gelegentlich umrühren. Das Lorbeerblatt entfernen.

4 Die Suppe mit Muskat, Pfeffer und evtl. Salz würzen. Crème double und Frischkäse einrühren. Bei geringer Hitze einige Minuten langsam erwärmen, dabei ab und zu umrühren. Auf vorgewärmte Teller füllen und mit Croûtons garniert servieren.

Pikante Zucchinisuppe mit Reis

Für 4 Personen

2 EL Öl
4 Knoblauchzehen, in dünne Scheiben geschnitten
1–2 EL mildes Chilipulver
½ TL gemahlener Kreuzkümmel
1½ l Hühner-, Gemüse- oder Rindfleischbrühe
2 Zucchini, gewürfelt
4 EL Langkornreis
Salz und Pfeffer
frischer Oregano, zum Garnieren
Limettenspalten, zum Servieren

TIPP

Zucchini sollten sich fest anfühlen und glänzend aussehen. Wählen Sie eher kleinere Exemplare.

1 Das Öl in einer gusseisernen Pfanne oder in einem Topf erhitzen. Knoblauch darin etwa 2 Minuten leicht anbräunen. Chilipulver und Kreuzkümmel zugeben und bei mittlerer Hitze etwa 1 Minute anrösten.

2 Brühe zugießen, Zucchini und Reis zugeben und etwa 10 Minuten kochen, bis die Zucchini weich und die Reiskörner gar sind. Dann mit Salz und Pfeffer abschmecken.

3 Die fertige Suppe auf Suppenteller verteilen, mit Oregano garnieren und mit Limettenspalten servieren.

VARIATION

Statt Reis können auch Nudelsorten wie Orzo oder Risoni bzw. kleine Suppennudeln oder Pintobohnen verwendet werden. Die Zucchini können in dieser Suppe gut durch Kürbisse ersetzt werden. Gewürfelte Tomaten runden die Suppe geschmacklich ab.

Kalabrische Pilzsuppe

Für 4 Personen

2 EL Olivenöl

1 Zwiebel, gehackt

450 g gemischte Pilze, etwa Champignons, Stein- und Austernpilze

300 ml Milch

850 ml heiße Gemüsebrühe

8 Scheiben Bauernbrot oder Baguette

2 Knoblauchzehen, zerdrückt

50 g Butter, zerlassen

Salz und Pfeffer

75 g fein geriebener Gruyère

TIPP

Pilze verlieren schnell an Geschmack, wenn sie zu viel Wasser aufnehmen. Daher sollten sie nur mit einem feuchten Tuch abgewischt werden.

1 Das Öl in einer großen Pfanne erhitzen. Die Zwiebel darin 3–4 Minuten goldbraun andünsten.

2 Die Pilze mit einem feuchten Tuch abwischen. Große Pilze in mundgerechte Stücke schneiden.

3 Die Pilze in die Pfanne geben und unter Rühren kurz im heißen Öl wenden.

4 Die Milch zugießen und aufkochen. Die Pfanne abdecken und die Pilze etwa 5 Minuten köcheln lassen. Dann langsam die Brühe unterrühren.

5 Brot unter dem vorgeheizten Backofengrill goldbraun rösten.

6 Knoblauch und Butter vermengen und großzügig auf die gerösteten Brotscheiben verteilen.

VARIATION

Die Suppe kann auch mit einer Mischung aus Wild- und Zuchtpilzen zubereitet werden.

7 Das Brot in eine große Suppenschüssel geben oder auf 4 Schalen verteilen. Die heiße Suppe mit Salz und Pfeffer würzen, über das Brot gießen, mit dem Gruyère bestreuen und sofort servieren.

Käse-Gemüse-Suppe

Für 4 Personen

25 g Butter
1 große Zwiebel, fein gehackt
1 große Porreestange, längs halbiert und in dünne Ringe geschnitten
1–2 Knoblauchzehen, zerdrückt
50 g Mehl
1,2 l Hühner- oder Gemüsebrühe
3 Karotten, fein gewürfelt
2 Selleriestangen, fein gewürfelt
1 weiße Rübe, fein gewürfelt
1 große Kartoffel, fein gewürfelt
3–4 frische Thymianzweige oder ½ TL getrockneter Thymian
1 Lorbeerblatt
350 g Schlagsahne
300 g reifer Gouda, gerieben
Salz und Pfeffer
2 EL frisch gehackte Petersilie, zum Garnieren

1 Die Butter in einem großen Topf bei mittlerer Hitze zerlassen. Zwiebel, Porree und Knoblauch zugeben, 5 Minuten abgedeckt garen, bis das Gemüse weich wird. Gelegentlich umrühren.

2 Das Mehl zum Gemüse geben und weitere 2 Minuten dünsten. Etwas Brühe zugießen und kräftig über den Topfboden rühren. Aufkochen und unter ständigem Rühren die restliche Brühe zugießen.

3 Karotten, Sellerie, Rübe, Kartoffel, Thymian und Lorbeerblatt zugeben. Die Hitze reduzieren und die Mischung abgedeckt 35 Minuten köcheln lassen, bis das Gemüse weich ist. Gelegentlich umrühren. Lorbeerblatt und Thymian entfernen.

4 Die Sahne zugießen und bei schwacher Hitze 5 Minuten köcheln lassen.

5 Den Käse portionsweise zugeben und jeweils 1 Minute unterrühren, bis er vollständig geschmolzen ist. Mit Salz und Pfeffer abschmecken.

6 Die Suppe auf vorgewärmte Teller füllen, mit Petersilie garnieren und servieren.

Mexikanische Gemüsesuppe mit Tortilla-Chips

Für 4–6 Personen

2 EL Olivenöl
1 Zwiebel, fein gehackt
4 Knoblauchzehen, zerdrückt
½ TL gemahlener Kreuzkümmel
2–3 TL mildes Chilipulver
1 Karotte, in feine Streifen geschnitten
1 fest kochende Kartoffel, gewürfelt
350 g frische Tomaten oder Tomaten aus der Dose, gewürfelt
1 Zucchini, gewürfelt
¼ Weißkohl, in feine Streifen geschnitten
1 l Gemüse- oder Hühnerbrühe
Körner von 1 Maiskolben, ersatzweise Mais aus der Dose
10 Stangenbohnen, in mundgerechte Stücke geschnitten
Salz und Pfeffer
4–6 EL frisch gehackter Koriander, zum Garnieren

ZUM SERVIEREN
Salsa nach Wahl oder eine frisch gehackte Chili
Tortilla-Chips

1 Öl in einer Pfanne erhitzen. Zwiebel und Knoblauch darin weich dünsten. Kreuzkümmel und Chilipulver zugeben und unterrühren. Dann Karotte, Kartoffel, Tomaten, Zucchini und Weißkohl zufügen und 2 Minuten unter gelegentlichem Rühren anbraten.

2 Brühe zugießen, Pfanne abdecken und die Suppe bei mittlerer Hitze etwa 20 Minuten kochen, bis das Gemüse weich ist.

3 Bei Bedarf etwas Wasser zugießen. Mais und Bohnen zugeben und alles weitere 5–10 Minuten kochen. Dann mit Salz und Pfeffer abschmecken.

4 Die fertige Suppe auf Suppenteller verteilen, mit Koriander garnieren und mit etwas Salsa oder Chili und einigen Tortilla-Chips servieren.

Scharfer Tomatenreis

Für 6–8 Personen

400 g Langkornreis
1 große Zwiebel, gehackt
2–3 Knoblauchzehen, zerdrückt
350 g Tomaten aus der Dose
3–4 EL Olivenöl
1 l Hühnerbrühe
1 EL Tomatenmark
1 scharfe rote Chili
Salz und Pfeffer
180 g Erbsen, Tiefkühlware aufgetaut
4 EL frisch gehackter Koriander

GARNIERUNG

1 große Avocado, in Scheiben geschnitten und mit Limettensaft beträufelt
Limettenspalten
4 Frühlingszwiebeln, gehackt
1 EL frisch gehackter Koriander

1 Den Reis mit heißem Wasser bedecken und 15 Minuten quellen lassen. Abgießen, dann unter fließend kaltem Wasser abspülen.

2 Zwiebel und Knoblauch im Mixer fein pürieren. In eine kleine Schüssel geben und beiseite stellen. Die Tomaten im Mixer pürieren und durch ein Sieb in eine andere Schüssel streichen.

3 Das Öl in einem Schmortopf erhitzen. Den Reis zugeben und 4 Minuten unter häufigem Rühren goldbraun und glasig dünsten. Das Zwiebelpüree zugeben und weitere 2 Minuten unter Rühren köcheln lassen. Brühe und Tomatenmark zufügen und aufkochen.

4 Die Chili mit einer Nadel mehrfach vorsichtig anstechen und zum Reis geben. Den Reis mit Salz und Pfeffer abschmecken. Die Hitze reduzieren und abgedeckt 25 Minuten köcheln lassen, bis der Reis die Flüssigkeit aufgenommen hat und gar ist. Die Chili entfernen, Erbsen und Koriander einrühren und 5 Minuten erhitzen.

5 Das Gericht in eine flache Servierschüssel füllen. Die Avocadoscheiben und Limettenspalten darauf anrichten. Mit gehackten Frühlingszwiebeln und Koriander bestreuen und servieren.

4

5

Tomatenreis mit Würstchen

Für 4 Personen

2 EL Öl
1 Zwiebel, grob gewürfelt
1 rote Paprika, gehackt
2 Knoblauchzehen, fein gehackt
½ TL getrockneter Thymian
300 g Langkornreis
1 l Hühner- oder Gemüsebrühe
220 g Tomaten aus der Dose, gewürfelt
1 Lorbeerblatt
2 EL frisch gehacktes Basilikum
180 g Gouda, gerieben
2 EL Schnittlauchröllchen
4 Bratwürstchen mit Kräutern, in 1 cm dicke Scheiben geschnitten
2–3 EL frisch geriebener Parmesan

1 Den Backofen auf 180 °C vorheizen. Das Öl bei mittlerer Hitze in einem großen Bräter erwärmen. Zwiebel und Paprika darin etwa 5 Minuten unter Rühren dünsten. Knoblauch und Thymian zugeben und 1 weitere Minute dünsten.

2 Den Reis zugeben und unter Rühren etwa 2 Minuten glasig dünsten. Brühe, Tomaten und das Lorbeerblatt einrühren und alles 5 Minuten garen, bis die Brühe fast ganz aufgenommen ist.

3 Basilikum, Gouda, Schnittlauch und Würstchenscheiben in den Schmortopf geben, Deckel auflegen und 25 Minuten im Backofen garen.

4 Mit Parmesan bestreuen und alles ohne Deckel 5 Minuten goldbraun überbacken. Aus dem Topf servieren.

TIPP

Für eine vegetarische Version ersetzen Sie das Fleisch durch 400 g weiße Bohnen, rote Kidneybohnen oder Mais. Probieren Sie auch einmal eine Mischung aus gedünsteten Pilzen und Zucchini.

2

3

4

Mailänder Risotto

Für 4 Personen

1 EL Olivenöl
25 g Butter
1 große Zwiebel, fein gehackt
350 g Arborio-Reis
½ TL Safran
150 ml Weißwein
850 ml heiße Gemüse- oder Hühnerbrühe
8 sonnengetrocknete Tomaten, in Streifen geschnitten
50 g Parmaschinken, in Streifen geschnitten
100 g Erbsen, Tiefkühlware aufgetaut
75 g frisch geriebener Parmesan, plus etwas mehr zum Garnieren

1 Öl und Butter in einer großen Pfanne erhitzen. Die Zwiebel darin 4–5 Minuten weich garen.

2 Reis und Safran zugeben und etwa 1 Minute lang rühren, bis der gesamte Reis mit Öl bedeckt ist.

2

3 Nach und nach den Wein und die Brühe zugießen. Der Reis muss jede Flüssigkeitsportion komplett aufgenommen haben, bevor weitere zugegeben wird.

4

4 Wenn die Hälfte der Flüssigkeit verbraucht ist, Tomaten zugeben.

5 Nach etwa 15 Minuten sollte die gesamte Flüssigkeit aufgesogen sein. Falls der Reis zu diesem Zeitpunkt noch immer hart ist, heißes Wasser zugießen und weiterkochen, bis der Reis gar ist.

6 Zuletzt Schinken, Erbsen und Käse unterrühren und mit dem Reis 2–3 Minuten weiterkochen. Mit Parmesan bestreut servieren.

6

TIPP

Risottos werden mit Rundkornreis zubereitet. Am besten wählt man eine Sorte mit nussigem Aroma wie Arborio. Milchreis ist ein geeigneter Ersatz.

Risotto mit Parmesan

Für 4 Personen

60 g Butter
1 Zwiebel, fein gehackt
300 g Arborio-Reis
125 ml trockener Weißwein
1,2 l heiße Hühner- oder Gemüsebrühe
80 g frisch geriebener Parmesan, plus etwas mehr zum Garnieren
Salz und Pfeffer

1 25 g Butter in einem großen Topf bei mittlerer Hitze zerlassen. Die Zwiebel zufügen und etwa 2 Minuten weich dünsten. Den Reis zugeben und 2 Minuten unter häufigem Rühren glasig dünsten.

2 Den Weißwein zugießen. Er kocht sprudelnd auf und verdunstet schnell. Eine große Kelle köchelnde Brühe zugießen und ständig rühren, bis der Reis sie aufgenommen hat.

3 Nach und nach jeweils eine halbe Kelle Brühe zugeben und vom Reis komplett aufsaugen lassen. Erst dann wieder eine halbe Kelle Brühe zugeben. Den Reis nie austrocknen lassen. Insgesamt dauert dieser Vorgang 20–25 Minuten. Der Reis sollte weich, aber noch bissfest sein.

4 Den Topf vom Herd nehmen und restliche Butter sowie Parmesan einrühren. Mit Salz und etwas Pfeffer abschmecken. Den Deckel auflegen und kurz ruhen lassen. Dann sofort mit Parmesan garniert servieren.

TIPP

Wer keine Butter verwenden möchte, nimmt stattdessen 2 Esslöffel Olivenöl und rührt zum Schluss 2 weitere Esslöffel Öl mit dem Parmesan unter das fertige Risotto.

Grünes Minzrisotto mit Kräutern

Für 6 Personen

25 g Butter
450 g Erbsen
1 kg frischer junger Spinat, gewaschen und abgetropft
1 Bund frische Minze, gezupft
2 EL frisch gehacktes Basilikum
2 EL frisch gehackter Oregano
1 Prise frisch geriebene Muskatnuss
4 EL Mascarpone oder Crème double
2 EL Öl
1 Zwiebel, fein gehackt
4 Selleriestangen mit Blättern, fein gehackt
2 Knoblauchzehen, fein gehackt
½ TL getrockneter Thymian
300 g Arborio-Reis
50 ml trockener weißer Wermut
1 l heiße Hühner- oder Gemüsebrühe
80 g frisch geriebener Parmesan
Frühlingszwiebelquasten, zum Garnieren

1 Die Hälfte der Butter in einer großen Pfanne bei mittlerer Hitze zerlassen. Erbsen, Spinat, Minze, Basilikum und Oregano zugeben, mit Muskatnuss würzen. 3 Minuten unter häufigem Rühren dünsten, bis Spinat und Minze zusammengefallen sind. Leicht abkühlen lassen.

2 Die Spinatmischung im Mixer 15 Sekunden pürieren. Mascarpone oder Crème double zugeben und 1 Minute mixen. In eine Schüssel geben und beiseite stellen.

3 Öl und restliche Butter in einem großen Topf bei mittlerer Hitze erwärmen. Zwiebel, Sellerie, Knoblauch und Thymian zugeben und 2 Minuten weich dünsten. Den Reis zugeben und 2 Minuten unter häufigem Rühren glasig dünsten.

1

5

4 Den Wermut zugießen. Er kocht sprudelnd auf und verdampft schnell. Wenn er fast aufgesogen ist, eine Kelle köchelnde Brühe zugießen und ständig rühren, bis der Reis sie aufgenommen hat.

5 Nach und nach jeweils eine halbe Kelle Brühe zugeben und vom Reis aufsaugen lassen. Den Reis nie trocken kochen lassen. Dieser Vorgang dauert ca. 25 Minuten. Das Risotto sollte nicht allzu feucht und der Reis noch bissfest sein. Die Spinat-Mascarpone-Mischung und Parmesan unterrühren und mit den Frühlingszwiebelquasten garniert servieren.

Risotto mit Wildpilzen

Für 6 Personen

60 g getrocknete Steinpilze oder Morcheln
500 g gemischte Wildpilze, z. B. Steinpilze, Pfifferlinge, Braunkappen, Egerlinge, ggf. halbiert
4 EL Olivenöl
3–4 Knoblauchzehen, fein gehackt
4 EL Butter
1 Zwiebel, fein gehackt
350 g Arborio-Reis oder Milchreis
50 ml trockener weißer Wermut
1,2 l heiße Hühnerbrühe
Salz und Pfeffer
120 g frisch geriebener Parmesan
4 EL frisch gehackte glatte Petersilie
frische Petersilienzweige, zum Garnieren
Baguettebrot, als Beilage
frisches Weißbrot, zum Servieren

1 Die getrockneten Pilze mit kochendem Wasser übergießen und 30 Minuten einweichen, dann aus dem Wasser nehmen und trockentupfen. Die Flüssigkeit durch ein mit Küchenpapier ausgelegtes Sieb gießen und beiseite stellen.

2 Die frischen Pilze vorsichtig abwischen.

3 3 Esslöffel Öl in einer großen Pfanne stark erhitzen. Die frischen Pilze darin 1–2 Minuten unter Rühren anbraten. Knoblauch und eingeweichte Pilze zugeben und 2 Minuten unter häufigem Rühren dünsten. Auf einen Teller geben und beiseite stellen.

4 Das restliche Öl und die Hälfte der Butter in einem großen Topf erhitzen. Die Zwiebel darin etwa 2 Minuten weich dünsten. Den Reis zugeben und 2 Minuten unter häufigem Rühren glasig dünsten.

5 Den Wermut zugießen. Wenn er fast verdunstet ist, eine Kelle Brühe zugießen und ständig rühren, bis der Reis sie aufgenommen hat.

6 Weiterhin jeweils eine halbe Kelle voll Brühe zugeben und vom Reis aufnehmen lassen. Erst dann wieder eine halbe Kelle Brühe zugeben. Den Reis nie austrocknen lassen. Dieser Vorgang dauert insgesamt 20–25 Minuten. Der Reis sollte weich, aber noch bissfest sein.

7 Die Hälfte des Einweichwassers zugießen, dann die Pilze einrühren. Mit Salz und Pfeffer abschmecken. Vom Herd nehmen, die restliche Butter, Parmesan und Petersilie einrühren. Mit Petersilienzweigen garnieren und sofort servieren. Dazu frisches Weißbrot reichen.

2

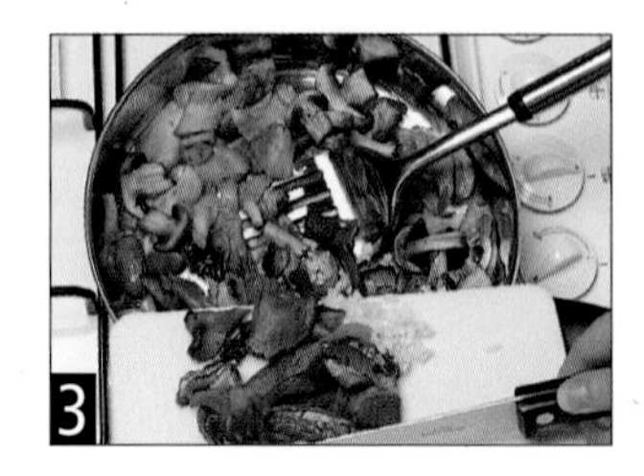
3

Risotto mit Roter Bete

Für 4–6 Personen

180 g getrocknete Sauerkirschen oder Preiselbeeren
220 ml fruchtiger Rotwein, z. B. Valpolicella
3 EL Olivenöl
1 große rote Zwiebel, fein gehackt
2 Selleriestangen, klein geschnitten
½ TL getrockneter Thymian
1 Knoblauchzehe, fein gehackt
350 g Arborio-Reis
1,2 l heiße Hühner- oder Gemüsebrühe
4 gekochte Rote Bete, gewürfelt
2 EL frisch gehackter Dill
2 EL Schnittlauchröllchen
Salz und Pfeffer
60 g frisch geriebener Parmesan, zum Bestreuen (nach Belieben)

1 Sauerkirschen oder Preiselbeeren in einem Topf mit dem Wein aufkochen, dann 2–3 Minuten köcheln, bis die Flüssigkeit leicht reduziert ist. Vom Herd nehmen und beiseite stellen.

2 Das Olivenöl in einem großen Topf bei mittlerer Hitze erwärmen. Zwiebel, Sellerie und Thymian zugeben und etwa 2 Minuten weich dünsten. Knoblauch und Reis zugeben und 2 Minuten unter Rühren dünsten.

3 Eine große Kelle Brühe zugießen und rühren, bis der Reis sie vollständig aufgenommen hat. Nach und nach je eine halbe Kelle Brühe zugeben und vom Reis aufsaugen lassen.

4 Dann wieder die nächste Kelle zugeben. Den Reis niemals austrocknen lassen. Dieser Vorgang dauert insgesamt 20–25 Minuten. Das Risotto sollte nicht allzu feucht und der Reis noch bissfest sein. Nach der Hälfte der Kochzeit Kirschen oder Preiselbeeren mit einem Schaumlöffel aus dem Wein heben und mit der Roten Bete und der Hälfte des Weins zum Risotto geben. Dann nach und nach Brühe und den restlichen Wein zugeben.

5 Dill und Schnittlauchröllchen einrühren und abschmecken. Mit Parmesan bestreut servieren.

Rucola-Tomaten-Risotto mit Mozzarella

Für 4–6 Personen

2 EL Olivenöl

25 g Butter

1 große Zwiebel, fein gehackt

350 g Arborio-Reis oder Milchreis

2 Knoblauchzehen, fein gehackt

120 ml trockener weißer Wermut (nach Belieben)

1,5 l heiße Hühner- oder Gemüsebrühe

6 Flaschen- oder Strauchtomaten, entkernt und gehackt

125 g Rucola

1 Hand voll frische Basilikumblätter

120 g frisch geriebener Parmesan

220 g Büffel-Mozzarella, grob gewürfelt

Salz und Pfeffer

1 Das Öl und die Hälfte der Butter in einer großen Pfanne erhitzen. Die Zwiebel etwa 2 Minuten darin glasig dünsten. Reis und Knoblauch zugeben und 2 Minuten unter häufigem Rühren glasig dünsten.

2 Den Wermut zugießen. Er kocht sprudelnd auf und verdunstet schnell. Eine Kelle der Brühe zugießen und rühren, bis der Reis die Flüssigkeit aufgesogen hat.

3 Weiterhin jeweils eine halbe Kelle Brühe zugeben und vom Reis aufsaugen lassen. Erst dann die nächste Kelle zugeben. Den Reis niemals trocken kochen. Kurz bevor der Reis gar ist, Tomaten und Rucola einrühren. Das Basilikum unterheben. Weiter Brühe zugeben. Die Reiskörner sollen zart, aber noch bissfest sein.

4 Vom Herd nehmen. Die restliche Butter, Parmesan und Mozzarella einrühren. Abschmecken. Abgedeckt 1 Minute quellen lassen. Rasch servieren, ehe der Mozzarella ganz geschmolzen ist.

Kürbis-Risotto

Für 6 Personen

4 EL Olivenöl
50 g Butter, gewürfelt
450 g Kürbisfleisch, in 1 cm große Würfel geschnitten
¾ TL Salbei
2 Knoblauchzehen, fein gehackt
Salz und Pfeffer
2 EL Zitronensaft
2 große Schalotten, fein gehackt
350 g Arborio-Reis oder Milchreis
50 ml trockener weißer Wermut
1,2 l heiße Hühnerbrühe
60 g frisch geriebener Parmesan
300 g milder Blauschimmelkäse, gewürfelt
Sellerieblätter, zum Garnieren

1 Den Backofen auf 200 °C vorheizen. 2 Esslöffel Öl und 15 g Butter in einen Bräter geben und im Ofen zerlassen.

2 Die Kürbiswürfel in den Bräter geben, mit Salbei, der Hälfte des Knoblauchs, Salz und Pfeffer bestreuen. Alles kurz vermischen, dann 10 Minuten rösten.

3 Die Hälfte der Kürbiswürfel mit dem Zitronensaft grob pürieren, dann mit den restlichen Kürbiswürfeln gründlich vermischen und beiseite stellen.

4 Das restliche Öl und 15 g Butter in einem großen Topf bei mittlerer Hitze erwärmen. Schalotten und restlichen Knoblauch 1 Minute darin andünsten. Anschließend den Reis zugeben und unter Rühren 2 Minuten glasig dünsten.

5 Den Wermut zugießen, er kocht sprudelnd auf und verdampft schnell. Eine Kelle der köchelnden Brühe zugießen und ständig rühren, bis der Reis sie aufgenommen hat.

6 Nach und nach jeweils eine halbe Kelle Brühe zugeben und vom Reis aufsaugen lassen. Erst dann die nächste Kelle zugeben. Den Reis niemals trocken kochen. Dieser Vorgang dauert 20–25 Minuten. Das Risotto soll eine nicht allzu feuchte Konsistenz haben, die Reiskörner sollen weich, aber noch bissfest sein.

7 Kürbispüree und -würfel mit der restlichen Butter und dem Parmesan einrühren. Vom Herd nehmen und Käsewürfel unterheben. Mit Sellerieblättern garniert sofort servieren.

Orangen-Risotto

Für 4 Personen

2 EL Pinienkerne
50 g Butter
2 Schalotten, fein gehackt
1 Porreestange, fein gehackt
400 g Arborio-Reis oder Milchreis
2 EL Orangenlikör oder trockener weißer Wermut
1,5 l Hühner- oder Gemüsebrühe
Saft von 2 Orangen, durchs Sieb gegossen
abgeriebene Schale von 1 Orange
3 EL Schnittlauchröllchen
Salz und Pfeffer

1 Die Pinienkerne in einer Pfanne bei mittlerer Hitze etwa 3 Minuten unter ständigem Rühren rösten. Beiseite stellen.

2 Die Hälfte der Butter in einem großen Topf bei mittlerer Hitze zerlassen. Schalotten und Porree 2 Minuten darin weich dünsten. Den Reis zugeben und 2 Minuten unter häufigem Rühren glasig dünsten.

3 Likör oder Wermut zugießen. Er kocht sprudelnd auf und verdunstet schnell. Eine Kelle der köchelnden Brühe zugießen und ständig rühren, bis der Reis sie aufgenommen hat. Nach und nach jeweils eine halbe Kelle zugeben und vom Reis aufsaugen lassen. Erst dann wieder die nächste Kelle zugeben. Den Reis niemals trocken kochen.

4 Nach ca. 15 Minuten Orangensaft und -schale zufügen. Weiter kochen und rühren, portionsweise Brühe zugeben. Das Risotto soll eine nicht allzu feuchte Konsistenz haben, der Reis sollte noch bissfest sein.

5 Vom Herd nehmen, die restliche Butter und 2 Esslöffel Schnittlauchröllchen einrühren. Mit Salz und Pfeffer abschmecken. Auf Portionsteller füllen, mit gerösteten Pinienkernen und den restlichen Schnittlauchröllchen bestreuen und sofort servieren.

Champignon-Käse-Risotto

Für 4 Personen

2 EL Olivenöl
250 g Arborio-Reis
2 Knoblauchzehen, zerdrückt
1 Zwiebel, gehackt
2 Selleriestangen, klein geschnitten
1 rote oder grüne Paprika, gewürfelt
250 g Champignons, in Scheiben geschnitten
1 EL frisch gehackter Oregano oder 1 TL getrockneter Oregano
1 l Gemüsebrühe
60 g sonnengetrocknete Tomaten, abgetropft und gehackt (nach Belieben)
Salz und Pfeffer
3 EL frisch geriebener Parmesan

GARNIERUNG
glatte Petersilienzweige
frische Lorbeerblätter

1 Öl in einem Wok erhitzen, den Reis zufügen und unter ständigem Rühren 5 Minuten anbraten.

2 Knoblauch, Zwiebel, Sellerie und Paprika zugeben und unter Rühren 5 Minuten dünsten. Dann mit den Champignons 3–4 Minuten garen.

3 Oregano und Brühe zufügen, einmal aufkochen, dann die Temperatur reduzieren, die Mischung abdecken und etwa 20 Minuten köcheln lassen, bis der Reis zart und cremig ist.

4 Getrocknete Tomaten zugeben, mit Salz und Pfeffer abschmecken und die Hälfte des Parmesans unterrühren. Mit dem restlichen Käse bestreuen, mit Petersilienzweigen sowie Lorbeerblättern garnieren und sofort servieren.

Gemüse-Jambalaja

Für 4 Personen

75 g Naturreis
2 EL Olivenöl
2 Knoblauchzehen, zerdrückt
1 rote Zwiebel, geachtelt
1 Aubergine, gewürfelt
1 grüne Paprika, gewürfelt
50 g Babymaiskolben, längs halbiert
50 g Erbsen, Tiefkühlware aufgetaut
100 g kleine Brokkoliröschen
150 ml Gemüsebrühe
225 g Tomaten aus der Dose, gewürfelt
1 EL Tomatenmark
1 TL Cajun-Gewürzmischung
1 EL Chiliflocken
Salz und Pfeffer

1 Den Reis 20 Minuten gar kochen. Dann abgießen und beiseite stellen.

2 Das Öl in einer gusseisernen Pfanne erhitzen, Knoblauch und Zwiebel darin unter Rühren 2–3 Minuten anrösten.

3 Aubergine, Paprika, Mais, Erbsen und Brokkoli zufügen, unter gelegentlichem Rühren 2–3 Minuten anrösten.

3

TIPP

Verwenden Sie zur Abwechslung eine Reismischung, z. B. aus Wildreis und braunem Reis.

4 Gemüsebrühe, Tomaten, Tomatenmark, Cajun-Gewürz und Chiliflocken unterrühren. Nach Belieben abschmecken und bei schwacher Hitze 15–20 Minuten köcheln lassen.

4

5 Reis und Gemüsemischung vermengen und unter Rühren weitere 3–4 Minuten erhitzen. Das Gemüse-Jambalaja auf vorgewärmte Teller geben und sofort servieren.

5

Gebratener Reis mit scharfen Bohnen

Für 4 Personen

3 EL Distelöl
1 Zwiebel, fein gehackt
225 g Langkornreis
1 grüne Paprika, in Würfel geschnitten
1 TL Chilipulver
600 ml kochendes Wasser
100 g Mais aus der Dose, abgetropft
225 g Kidneybohnen
Salz, nach Belieben
2 EL frisch gehackter Koriander

1 Einen großen Wok stark erhitzen und das Öl hineingeben.

2 Zwiebel in den Wok geben und ca. 2 Minuten unter Rühren glasig dünsten.

3 Langkornreis, gewürfelte Paprika und Chilipulver zufügen und 1 Minute unterrühren.

4 Das Wasser in den Wok gießen. Aufkochen lassen, dann die Hitze reduzieren und die Mischung 15 Minuten köcheln lassen.

5 Mais, Kidneybohnen, Salz und Koriander in den Wok geben und erhitzen, dabei gelegentlich umrühren.

6 Den fertigen Reis in eine Servierschüssel füllen und servieren.

TIPP

Damit der Reis schön trocken wird, vor dem Garen kurz einweichen, um die überschüssige Stärke zu entfernen. Statt Langkornreis ist auch Rundkornreis asiatischer Herkunft geeignet.

3

4

5

Cashew-Paella

Für 4 Personen

2 EL Olivenöl
15 g Butter
1 rote Zwiebel, fein gehackt
150 g Arborio-Reis
1 TL gemahlene Kurkuma
1 TL gemahlener Kreuzkümmel
½ TL Chilipulver
1 grüne Chili, in dünnen Scheiben
3 Knoblauchzehen, zerdrückt
1 grüne Paprika, gewürfelt
1 rote Paprika, gewürfelt
75 g Babymaiskolben, längs halbiert
2 EL schwarze Oliven, entsteint
1 große Tomate, entkernt und gewürfelt
450 ml Gemüsebrühe
75 g ungesalzene Cashewkerne
25 g Erbsen, Tiefkühlware aufgetaut
Salz und Pfeffer
2 EL frisch gehackte Petersilie
1 Prise Cayennepfeffer
frische Kräuter, zum Garnieren

1 Olivenöl und Butter in einer großen Pfanne oder einer Paellapfanne zerlassen.

2 Zwiebel zugeben und 2 Minuten unter Rühren glasig dünsten.

3 Reis, Kurkuma, Kreuzkümmel, Chilipulver und -scheiben, Knoblauch, Paprika, Mais, Oliven und Tomate zugeben und alles bei mittlerer Hitze unter gelegentlichem Rühren 1–2 Minuten schmoren.

4 Die Brühe zugießen und die Mischung aufkochen. Die Hitze reduzieren und alles 20 Minuten kochen, dabei mehrfach umrühren.

5 Cashewkerne und Erbsen zugeben und weitere 5 Minuten unter gelegentlichem Rühren kochen. Mit Salz und Pfeffer abschmecken, mit Petersilie und Cayennepfeffer bestreuen und mit frischen Kräutern garnieren. Auf vorgewärmte Teller geben und sofort servieren.

3

4

5

Gemüse-Reis-Gratin

Für 4 Personen

100 g Naturreis
25 g Butter oder Margarine
1 rote Zwiebel, gehackt
2 Knoblauchzehen, zerdrückt
1 Karotte, in dünne Stifte geschnitten
1 Zucchini, in Scheiben geschnitten
75 g Babymaiskolben, längs halbiert
2 EL Sonnenblumenkerne
3 EL frisch gehackte Kräuter
100 g Mozzarella, gerieben
Salz und Pfeffer
2 EL Semmelbrösel

VARIATION

Verwenden Sie eine andere Reissorte wie etwa Basmati-Reis und würzen Sie das Gericht mit Curry.

1 Den Backofen auf 180 °C vorheizen. Den Reis 20 Minuten in kochendem Salzwasser garen und gründlich abgießen.

2 Eine Auflaufform (900 ml Inhalt) dünn einfetten.

3 Die Butter in einer Pfanne erhitzen und die Zwiebel darin 2 Minuten weich dünsten.

4 Knoblauch, Karotte, Zucchini und Mais zugeben und weitere 5 Minuten unter Rühren dünsten.

4

5 Den Reis mit Sonnenblumenkernen und Kräutern mischen und ebenfalls in die Pfanne geben.

6 Die Hälfte des Käses zugeben und mit Salz und Pfeffer abschmecken.

5

7 Die Mischung in die gefettete Auflaufform geben und mit den Semmelbröseln und dem übrigen Käse bestreuen. Im Ofen 25–30 Minuten goldbraun überbacken und servieren.

7

Gemüsechili

Für 4 Personen

1 Aubergine, in 2,5 cm dicke Scheiben geschnitten
1 EL Olivenöl plus etwas mehr zum Einfetten
1 große rote oder weiße Zwiebel, fein gehackt
2 rote oder gelbe Paprika, fein gewürfelt
3–4 Knoblauchzehen, zerdrückt
800 g Tomaten aus der Dose, gewürfelt
1 EL mildes Chilipulver
½ TL gemahlener Kreuzkümmel
½ TL getrockneter Oregano
Salz und Pfeffer
2 kleine Zucchini, längs geviertelt und in Scheiben geschnitten
400 g Kidneybohnen aus der Dose, abgespült und abgetropft
450 ml Wasser
1 EL Tomatenmark
6 Frühlingszwiebeln, fein gehackt
120 g Gouda, gerieben

1 Die Auberginenscheiben von einer Seite mit Olivenöl einpinseln. Die Hälfte des Öls in einer großen Pfanne bei mittlerer Hitze erwärmen. Die Auberginen mit der geölten Seite nach oben hineinlegen und 5–6 Minuten von beiden Seiten anbraten. Auf einen Teller legen und in mundgerechte Stücke schneiden.

2 Das restliche Öl in einem großen Topf bei mittlerer Hitze erwärmen. Zwiebel und Paprika zugeben, und abgedeckt 3–4 Minuten unter gelegentlichem Rühren dünsten. Den Knoblauch zugeben und weitere 2–3 Minuten dünsten, bis die Zwiebel hellbraun wird.

3 Tomaten, Chilipulver, Kreuzkümmel und Oregano zugeben. Mit Salz und Pfeffer abschmecken und kurz aufkochen. Die Hitze reduzieren und alles 15 Minuten köcheln lassen.

4 Zucchini, Auberginen und Kidneybohnen zugeben. Wasser und Tomatenmark unterrühren. Den Deckel wieder auflegen und alles 45 Minuten köcheln lassen. Noch einmal abschmecken und nach Belieben mit Chilipulver nachwürzen.

5 Die fertige Suppe auf vorgewärmte Teller verteilen, mit Frühlingszwiebeln und Käse bestreuen und sofort servieren.

Pikantes Schwarze-Bohnen-Chili

Für 4 Personen

400 g schwarze Bohnen
2 EL Olivenöl
1 Zwiebel, gehackt
5 Knoblauchzehen, grob gehackt
2 Scheiben Schinkenspeck, gewürfelt (nach Wunsch)
½–1 TL gemahlener Kreuzkümmel
½–1 TL mildes Chilipulver
1 rote Paprika, gewürfelt
1 Karotte, gewürfelt
400 g Tomaten, gewürfelt
1 Bund Koriander, grob gehackt
Salz und Pfeffer

TIPP

Es können auch Bohnen aus der Dose verwendet werden. In Schritt 4 anstelle der Kochflüssigkeit 225 ml Wasser zugeben.

1 Die Bohnen über Nacht einweichen. Das Einweichwasser abgießen, die Bohnen in einen Topf geben, mit frischem Wasser bedecken und 10 Minuten kochen. Dann die Hitze reduzieren und die Bohnen etwa 90 Minuten garen. Anschließend gut abtropfen lassen. Etwa 225 ml Kochflüssigkeit auffangen und beiseite stellen.

2 Das Öl in einer Pfanne erhitzen. Die Zwiebel und den Knoblauch darin 2 Minuten anbraten. Ggf. Speck zugeben und alles so lange braten, bis der Speck gebräunt und die Zwiebel weich ist.

3 Kreuzkümmel und Chilipulver zufügen und kurz mitbraten. Dann Paprika, Karotte und Tomaten zugeben und bei mittlerer Hitze etwa 5 Minuten dünsten.

4 Die Hälfte des Korianders, die Bohnen, die aufgefangene Kochflüssigkeit sowie etwas Salz und Pfeffer zugeben und alles 30–45 Minuten köcheln und eindicken lassen.

5 Restlichen Koriander einstreuen, abschmecken und servieren.

Naturreis mit Nüssen und Früchten

Für 4–6 Personen

50 g Ghee (oder Butter)
1 große Zwiebel, gehackt
2 Knoblauchzehen, zerdrückt
2,5-cm-Stück Ingwer, fein gehackt
1 TL Chilipulver
1 TL Kreuzkümmelsamen
1 TL mildes oder mittelscharfes Currypulver
300 g Naturreis
800 ml Gemüsebrühe
480 g Tomaten aus der Dose, gewürfelt
Salz und Pfeffer, nach Geschmack
175 g getrocknete Aprikosen, eingeweicht und in Streifen geschnitten
1 rote Paprika, gewürfelt
100 g Erbsen, Tiefkühlware aufgetaut
1–2 kleine, noch leicht grüne Bananen
60–100 g gemischte Nüsse

1 Das Ghee in einem großen Topf erhitzen und die Zwiebel darin 3 Minuten dünsten.

2 Knoblauch, Ingwer, Chilipulver, Kreuzkümmel, Currypulver und Reis zufügen. 2 Minuten unter Rühren anbraten.

3 Die Gemüsebrühe aufkochen und zugießen. Alles verrühren. Die Tomaten zugeben. Mit Salz und Pfeffer würzen. Aufkochen, Hitze reduzieren und alles abgedeckt 40 Minuten köcheln lassen, bis der Reis fast gar und kaum noch Flüssigkeit vorhanden ist.

4 Aprikosen, Paprika und Erbsen in den Topf geben. Abgedeckt weitere 10 Minuten köcheln lassen.

5 Den Topf vom Herd nehmen und anschließend 5 Minuten abgedeckt ruhen lassen.

6 Die Bananen schälen und in Scheiben schneiden. Den Reis mit einer Gabel auflockern. Nüsse und Bananenscheiben zugeben und vorsichtig unterrühren.

7 Das Reisgericht auf einer Platte anrichten und sofort servieren.

2

3

3

Hirse-Pilaw

Für 4 Personen

300 g Hirse
1 EL Öl
1 Bund Frühlingszwiebeln, in Ringen
1 Knoblauchzehe, zerdrückt
1 TL geriebener Ingwer
1 gelbe Paprika, gewürfelt
600 ml Wasser
1 Orange
Salz und Pfeffer
100 g Datteln ohne Stein, gehackt
2 TL Sesamöl
100 g geröstete Cashewkerne
2 EL Kürbiskerne
Salat, zum Servieren

1 Die Hirse in einem großen Topf bei mittlerer Hitze 4–5 Minuten rösten, bis die Körner zu platzen beginnen. Den Topf ab und zu rütteln.

2 In einem zweiten Topf das Öl erhitzen. Frühlingszwiebeln, Knoblauch, Ingwer und Paprika bei mittlerer Hitze 2–3 Minuten dünsten, bis das Gemüse weich, aber noch nicht angebräunt ist. Häufig umrühren. Die Hirse zugeben. Mit dem Wasser auffüllen.

3 Mit einem Sparschäler die Orangenschale dünn ablösen und zur Hirse geben. Den Saft der Orange auspressen und zugießen. Mit Salz und Pfeffer abschmecken.

4 Aufkochen, dann bei mittlerer Hitze 20 Minuten köcheln lassen, bis alle Flüssigkeit aufgesogen ist. Den Topf vom Herd nehmen, Datteln und Sesamöl untermischen, beiseite stellen und 10 Minuten ruhen lassen.

5 Die Orangenschale entfernen und die Cashewkerne unterrühren. In eine vorgewärmte Schale füllen, mit Kürbiskernen bestreuen und heiß mit Salat servieren.

Gemüsecurry

Für 4 Personen

225 g weiße Rüben oder Steckrüben
1 Aubergine
350 g neue Kartoffeln, geschält
225 g Bumenkohl
225 g Champignons
1 große Zwiebel
225 g Karotten
6 EL Öl
2 Knoblauchzehen, zerdrückt
5-cm-Stück frischer Ingwer,
fein gehackt
1–2 grüne Chillies , gehackt
1 EL Paprikapulver
2 TL gemahlener Koriander
1 EL mildes Currypulver oder
milde Currypaste
500 ml Gemüsebrühe
400 g Tomaten aus der Dose,
in kleine Stücke geschnitten
Salz
1 grüne Paprika, in Streifen
geschnitten
1 EL Speisestärke
80 ml Kokosmilch
2–3 EL gemahlene Mandeln
Korianderzweige,
zum Garnieren

1 Rüben, Aubergine und Kartoffeln würfeln. Blumenkohl in Röschen schneiden. Champignons halbieren, Zwiebel in Ringe und Karotten in Scheiben schneiden.

2 Das Öl in einem Topf erhitzen und Zwiebel, Karotten, Steckrüben, Kartoffeln und Bumenkohlröschen hineingeben. 3 Minuten unter Rühren anbraten. Knoblauch, Ingwer, Chillies, Paprika, gemahlenen Koriander und Currypulver zugeben und 1 Minute weiterrühren.

3 Gemüsebrühe, Tomatenstücke, Aubergine und Champignons zugeben und alles nach Geschmack salzen. Abgedeckt unter gelegentlichem Rühren ca. 30 Minuten bei mittlerer Hitze köcheln lassen. Paprika zugeben und alles abgedeckt weitere 5 Minuten köcheln lassen.

4 Speisestärke mit Kokosmilch anrühren und in den Topf gießen. Mandeln zugeben und 2 Minuten unter Rühren köcheln lassen. Abschmecken, auf Servierteller geben und mit Korianderzweigen garniert heiß servieren.

Bohnen-Kartoffel-Curry

Für 4 Personen

300 ml Öl
1 TL Kreuzkümmelsamen
1 TL Senfkörner und Schwarzkümmel
4 getrocknete rote Chillies
3 Tomaten, in Scheiben geschnitten
1 TL Salz
1 TL geriebener Ingwer
1 große Knoblauchzehe, zerdrückt
1 TL Chilipulver
200 g grüne Bohnen, halbiert
2 Kartoffeln, gewürfelt
300 ml Wasser
GARNIERUNG
frisch gehackter Koriander
2 grüne Chillies, fein gehackt
gekochter Reis, zum Servieren

TIPP

Die Senfkörner vor der Zugabe zum Curry in Öl oder Ghee anbraten, damit sie ihr volles Aroma entfalten.

1 Das Öl in einem großen Topf erhitzen.

2 Kreuzkümmel, Senfkörner, Schwarzkümmel und Chillies in den Topf geben und unter Rühren kurz anbraten.

2

3 Die Tomatenscheiben zu der Gewürzmischung geben und alles 3–5 Minuten anbraten.

3

4 Salz, Ingwer, Knoblauch und Chilipulver vermengen und in den Topf geben. Gut verrühren.

4

5 Bohnen und Kartoffelwürfel zufügen und ca. 5 Minuten unter Rühren anbraten.

6 Das Wasser aufgießen und die Hitze reduzieren. 10–15 Minuten köcheln. Gelegentlich umrühren.

7 Das Curry mit Koriander und Chillies garnieren und mit gekochtem Reis servieren.

Curry mit Cashewkernen

Für 4 Personen

250 ml Kokosmilch
1 Kaffir-Limettenblatt
½ TL helle Sojasauce
60 g Babymaiskolben, längs halbiert
125 g Brokkoliröschen
125 g grüne Bohnen, in 5 cm große Stücke geschnitten
25 g Cashewkerne
15 frische Basilikumblätter
1 EL frisch gehackter Koriander
1 EL geröstete Erdnüsse, gehackt, zum Garnieren

ROTE CURRYPASTE

7 rote Chillies, halbiert, entkernt und blanchiert
2 TL Kreuzkümmelsamen
2 TL Koriandersamen
2,5-cm-Stück Galgantwurzel, gehackt
½ Zweig Zitronengras, klein geschnitten
1 TL Salz
abgeriebene Schale von 1 Limette
4 Knoblauchzehen, gehackt
3 Schalotten, gehackt
2 Kaffir-Limettenblätter, in Streifen geschnitten
1 EL Öl

1 Für die Currypaste alle Zutaten mit einem Mörser oder in einer Küchenmaschine zerkleinern. Für dieses Rezept wird nicht die gesamte rote Currypaste benötigt. Der Rest hält sich jedoch in einem verschlossenen Behälter im Kühlschrank bis zu drei Wochen.

1

2 Einen Wok bei starker Hitze erwärmen. 3 Esslöffel Currypaste hineingeben und verrühren, bis sich das Aroma entfaltet. Auf mittlere Hitze reduzieren.

3

3 Kokosmilch, Limettenblatt, Sojasauce, Maiskolben, Brokkoliröschen, grüne Bohnen und Cashewkerne zugeben. Aufkochen und etwa 10 Minuten garen, bis das Gemüse bissfest ist.

3

4 Das Limettenblatt herausnehmen und wegwerfen. Basilikumblätter und Koriander einrühren. In eine vorgewärmte Servierschüssel füllen, mit Erdnüssen garnieren und sofort servieren.

Gelbes Kartoffelcurry mit Spinat

Für 4 Personen

2 Knoblauchzehen, fein gehackt

3-cm-Stück Galgant oder Ingwer, fein gehackt

1 Zweig Zitronengras, fein gehackt

1 TL Koriandersamen

3 EL Öl

2 TL thailändische rote Currypaste

½ TL gemahlene Kurkuma

200 ml Kokosmilch

250 g Kartoffeln, in 2 cm große Würfel geschnitten

100 ml Gemüsebrühe

200 g frischer junger Spinat

1 kleine Zwiebel, in dünne Ringe geschnitten

TIPP

Verwenden Sie für dieses Gericht eine fest kochende Kartoffelsorte, die während des Garens ihre Form behält. Mehlige Sorten zerfallen zu leicht.

1 Knoblauch, Galgant, Zitronengras und Koriandersamen im Mörser sorgfältig zu einer glatten Paste verarbeiten.

2 In einem Wok oder einer Pfanne 2 Esslöffel Öl erhitzen. Die Gewürzpaste etwa 30 Sekunden anbraten. Currypaste und Kurkuma einrühren, dann die Kokosmilch zufügen und aufkochen.

3 Kartoffeln und Brühe zugeben, wieder aufkochen. Die Hitze reduzieren und die Mischung ohne Deckel 10–12 Minuten leicht kochen, bis die Kartoffeln fast gar sind.

4 Den Spinat einrühren und zusammenfallen lassen.

5 Unterdessen die Zwiebel im restlichen Öl goldbraun braten. Unmittelbar vor dem Servieren auf dem Curry verteilen.

Linsen-Gemüse-Biryani

Für 4 Personen

1 große Kartoffel, gewürfelt
100 g junge Karotten
50 g Okra, grob gewürfelt
2 Selleriestangen, in Scheiben
75 g kleine Champignons, halbiert
1 Aubergine, halbiert und in Scheiben geschnitten
300 g Naturjoghurt
1 EL geriebener Ingwer
2 große Zwiebeln, gehackt
4 Knoblauchzehen, zerdrückt
1 TL gemahlene Kurkuma
1 EL Currypulver
2 EL Butter
2 Zwiebeln, in Ringe geschnitten
225 g Basmati-Reis
frische Korianderblätter, zum Garnieren

1 Kartoffeln, Karotten und Okra 7–8 Minuten in Salzwasser kochen. Abgießen und in eine große Schüssel geben. Mit Sellerie, Pilzen und Aubergine vermengen.

2 Joghurt, Ingwer, Zwiebeln, Knoblauch, Kurkuma und Currypulver gründlich mischen, über das Gemüse geben und vorsichtig verrühren. Mindestens 2 Stunden marinieren.

2

3 Backofen auf 190 °C vorheizen. Die Butter in einer Pfanne erhitzen und die Zwiebelringe darin 5–6 Minuten goldbraun braten. Einige Ringe zum Garnieren beiseite stellen.

3

4 Den Reis 7 Minuten garen, dann abgießen und beiseite stellen.

5 Das marinierte Gemüse zu den Zwiebeln geben und 10 Minuten schmoren.

6 Die Hälfte vom Reis in eine Auflaufform (ca. 2 l Inhalt) füllen. Die Gemüsemischung darauf geben und mit dem restlichen Reis bedecken. Abgedeckt 20–25 Minuten backen.

6

7 Das Biryani auf einer Servierplatte anrichten, mit den aufbewahrten Zwiebelringen und Korianderblättern garnieren und sofort servieren.

Pikantes Cashew-Curry

Für 4 Personen

250 g ungesalzene Cashewkerne
1 TL Koriandersamen
1 TL Kreuzkümmelsamen
2 Kardamomkapseln, zerdrückt
1 EL Sonnenblumenöl
1 Zwiebel, in dünne Ringe geschnitten
1 Knoblauchzehe, zerdrückt
1 kleine grüne Chili, gehackt
1 Zimtstange
½ TL gemahlene Kurkuma
4 EL Kokoscreme
300 ml heiße Gemüsebrühe
3 Limettenblätter, klein geschnitten
Salz und Pfeffer
gekochter Jasminreis, als Beilage

TIPP

Frisch zerkleinerte Gewürze schmecken besonders aromatisch. Ersatzweise können Sie auch gemahlene Gewürze verwenden.

1 Die Cashewkerne über Nacht in kaltem Wasser einweichen. Gut abtropfen lassen. Koriander, Kreuzkümmel und Kardamomkapseln im Mörser zerstoßen.

2 Das Öl erhitzen. Zwiebel und Knoblauch 2–3 Minuten weich dünsten, aber nicht anbräunen. Chili, zerstoßene Gewürze, Zimtstange und Kurkuma zugeben und kurz anbraten.

3 Kokoscreme und heiße Brühe zugießen. Aufkochen, dann Cashewkerne und Limettenblätter zufügen. Mit Salz und Pfeffer abschmecken.

4 Hitze reduzieren und alles abgedeckt 20 Minuten köcheln lassen. Heiß mit Jasminreis servieren.

Gemüse-Kokos-Curry

Für 4 Personen

1 große Aubergine, in 2,5 cm große Würfel geschnitten
2 EL Salz
2 EL Öl
2 Knoblauchzehen, zerdrückt
1 grüne Chili, fein gehackt
1 TL geriebener Ingwer
1 Zwiebel, fein gehackt
2 TL Garam masala
8 Kardamomkapseln
1 TL gemahlene Kurkuma
1 EL Tomatenmark
700 ml Gemüsebrühe
1 EL Zitronensaft
250 g Kartoffeln, gewürfelt
250 g kleine Blumenkohlröschen
250 g Okra, geputzt
250 g Erbsen
150 ml Kokosmilch
Salz und Pfeffer
Kokosflocken, zum Garnieren
Naan-Brot, zum Servieren

1 Die Aubergine in einer Schüssel auslegen und salzen. 30 Minuten ziehen lassen. Unter fließendem Wasser abspülen, abtropfen lassen. Beiseite stellen.

2 Das Öl in einer Pfanne erhitzen und Knoblauch, Chili, Ingwer, Zwiebel und Gewürze 5 Minuten bei mittlerer Hitze anbraten.

3 Tomatenmark, Gemüsebrühe, Zitronensaft, Kartoffeln und Blumenkohl zufügen und gut vermischen. Aufkochen, abdecken und 15 Minuten köcheln lassen.

4 Aubergine, Okra, Erbsen und Kokosmilch einrühren und salzen und pfeffern. 10 Minuten offen köcheln, bis das Gemüse gar ist. Die Kardamomkapseln herausnehmen. Curry auf eine vorgewärmte Servierplatte geben, mit Kokosflocken garnieren und mit Naan-Brot servieren.

Gemischtes indisches Gemüse

Für 4 Personen

200 g Chana Dhal (gelbe Spaltlinsen), gewaschen
3 EL Öl
1 TL Schwarzkümmel
2 Zwiebeln, in Ringe geschnitten
100 g Zucchini, in Scheiben
100 g Kartoffeln, gewürfelt
100 g Karotten, in Scheiben
1 kleine Aubergine, in Scheiben
200 g Tomaten, gewürfelt
300 ml Wasser
3 Knoblauchzehen, gehackt
1 TL gemahlener Kreuzkümmel
1 TL gemahlener Koriander
1 TL Salz
2 grüne Chillies, in Scheiben
½ TL Garam masala
2 EL frisch gehackter Koriander

1 Die Chana Dhal in einen Topf geben und mit Salzwasser bedecken. Aufkochen und 30 Minuten köcheln lassen. Abgießen und warm stellen.

2 Das Öl in einem Wok erhitzen. Den Schwarzkümmel zugeben und braten, bis die Samen aufplatzen.

3 Die Zwiebeln zugeben und goldbraun braten.

4 Zucchini, Kartoffeln, Karotten und Aubergine zugeben.

5 Das Gemüse etwa 3 Minuten anbraten, dabei ständig mit einem Holzlöffel rühren.

6 Tomaten, Wasser, Knoblauch, Kreuzkümmel, Koriander, Chillies, Garam masala und Linsen einrühren.

7 Alles aufkochen und 15 Minuten köcheln lassen. Den frischen Koriander unter das Gemüse heben und servieren.

1

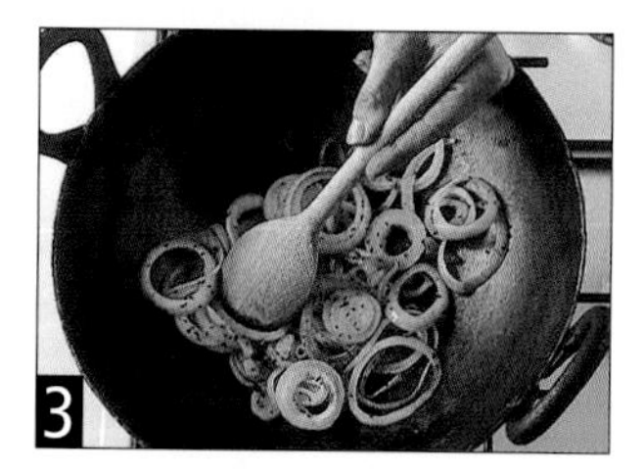
3

4

Mexikanische Mixed Pickles

Für 6 Personen

3 EL Öl
1 Zwiebel, in Ringe geschnitten
5 Knoblauchzehen,
in kleine Stifte geschnitten
3 Karotten, in dünne Scheiben
geschnitten
2 grüne Chillies, entkernt
und in Streifen geschnitten
1 kleiner Blumenkohl,
in Röschen zerteilt
½ rote Paprika, gewürfelt
1 Selleriestange, in Stücke geschnitten
½ TL frischer Oregano
1 Lorbeerblatt
¼ TL gemahlener Kreuzkümmel
80 ml Apfelessig
Salz und Pfeffer

1 Das Öl in einer gusseisernen Pfanne erhitzen. Zwiebel, Knoblauch, Karotten, Chillies, Blumenkohl, Paprika und Sellerie etwa 1 Minute leicht darin andünsten.

2 Oregano, Lorbeerblatt, Kreuzkümmel und Apfelessig zugeben und mit Salz und Pfeffer abschmecken. Mit Wasser bedecken und 5–10 Minuten kochen, bis das Gemüse beginnt, weich zu werden, aber noch bissfest ist.

3 Abschmecken, bei Bedarf zusätzlich Essig zugeben, abkühlen lassen und als Beilage servieren. Die fertigen Pickles halten sich im Kühlschrank bis zu 2 Wochen.

TIPP

Beim Verarbeiten frischer Chillies möglichst Gummihandschuhe tragen und niemals die Augen berühren.

Pikanter Bohneneintopf

Für 4 Personen

350 g Augenbohnen, über Nacht in kaltem Wasser eingeweicht
1 EL Öl
2 Zwiebeln, gehackt
1 EL flüssiger Honig
2 EL Sirup
4 EL dunkle Sojasauce
1 TL Senfpulver
4 EL Tomatenmark
450 ml frische Gemüsebrühe
1 Lorbeerblatt
je 1 Rosmarin-, Thymian- und Salbeizweig
1 kleine Orange
Pfeffer
1 EL Speisestärke
2 rote Paprika, gewürfelt
2 EL frisch gehackte glatte Petersilie, zum Garnieren
Baguette, als Beilage

1 Die Bohnen abspülen und in einen Topf geben. Mit Wasser bedecken, aufkochen und 10 Minuten kräftig kochen. Abgießen und in eine Auflaufform füllen.

2 Unterdessen das Öl in einer Pfanne erhitzen und die Zwiebeln 5 Minuten darin anbraten. Honig, Sirup, Sojasauce, Senfpulver und Tomatenmark zugeben. Die Brühe zugießen, aufkochen und alles über die Bohnen gießen.

3 Den Backofen auf 150 °C vorheizen. Lorbeerblatt, Rosmarin, Thymian und Salbei mit Küchengarn zusammenbinden und in die Form geben. Mit einem Sparschäler von der Orange 3 Streifen Schale abschneiden und mit Pfeffer zu den Bohnen geben. Abgedeckt 1 Stunde backen.

4 Den Saft der Orange mit der Speisestärke verrühren. Die angerührte Stärke zu den Bohnen geben, die Paprika zufügen. Den Deckel auflegen und 1 weitere Stunde backen, bis die Sauce schön sämig ist und die Bohnen weich sind. Kräutersträußchen und Orangenschale entfernen.

5 Mit Petersilie garnieren und mit frischem Brot servieren.

1

2

3

Spanische Tortilla

Für 4 Personen

1 kg fest kochende Kartoffeln, in dünne Scheiben geschnitten
4 EL Öl
1 Zwiebel, in Ringe geschnitten
2 Knoblauchzehen, zerdrückt
1 grüne Paprika, gewürfelt
2 Tomaten, entkernt und gehackt
250 g Mais aus der Dose, abgetropft
6 große Eier, verquirlt
2 EL frisch gehackte Petersilie
Salz und Pfeffer
Salat, Zum Servieren

TIPP

Achten Sie darauf, dass Ihre Bratpfanne einen feuerfesten Griff hat, und verwenden Sie einen Ofenhandschuh, wenn Sie sie aus dem Grill nehmen.

1 Die Kartoffeln in einem Topf mit gesalzenem kochendem Wasser 5 Minuten kochen und abgießen.

2 Das Öl in einer großen Pfanne mit feuerfestem Griff erhitzen, Kartoffeln und Zwiebel zufügen und bei schwacher Hitze unter ständigem Rühren 5 Minuten goldbraun braten.

2

3

3 Knoblauch, Paprika, Tomaten und Mais zugeben und alles gut unterrühren.

4

4 Die Eier mit der Petersilie zugießen und mit Salz und Pfeffer abschmecken. 10–12 Minuten braten, bis die Unterseite der Tortilla gar ist.

5 Die Pfanne vom Herd nehmen, unter einen vorgeheizten Grill schieben und 5–7 Minuten weiterbacken, bis die Tortilla fest und die Oberfläche goldbraun geworden ist.

6 Die Tortilla in Tortenstücke schneiden und mit Salat servieren. In Spanien werden Tortillas je nach Geschmack heiß, warm oder auch kalt serviert.

Wintergemüse-Auflauf

Für 4 Personen

1 EL Olivenöl
1 Knoblauchzehe, zerdrückt
8 kleine Zwiebeln, halbiert
2 Selleriestangen, in Ringe geschnitten
200 g Steckrüben, klein geschnitten
2 Karotten, in Scheiben geschnitten
½ kleiner Blumenkohl, in Röschen zerteilt
200 g Pilze, in Scheiben geschnitten
400 g Tomaten aus der Dose, gewürfelt
60 g rote Linsen
2 EL Speisestärke
3–4 EL Wasser
300 ml Gemüsebrühe
2 TL Tabasco
2 TL frisch gehackter Oregano
Oreganozweige, zum Garnieren

TEIG
225 g Mehl
1 Prise Salz
1 TL Backpulver
60 g Butter
125 g alter Gouda, gerieben
2 TL frisch gehackter Oregano
1 Ei, verquirlt
150 ml Magermilch

1 Backofen auf 180 °C vorheizen. Öl in einer Pfanne erhitzen. Knoblauch und Zwiebeln darin 5 Minuten andünsten. Sellerie, Steckrüben, Karotten und Blumenkohl zugeben und 2–3 Minuten anbraten. Pilze, Tomaten und Linsen zugeben. Speisestärke und Wasser vermischen, dann Brühe, Tabasco und Oregano zufügen und alles aufkochen.

2 Das Gemüse in eine Auflaufform geben und darin abgedeckt 20 Minuten backen.

3 Für den Teig Mehl, Backpulver und Salz in eine Schüssel sieben. Butter einkneten, den Großteil des Käses und des Oreganos zugeben. Ei und Milch verquirlen und zum Teig geben. Etwas von der Ei-Milch-Masse zurückbehalten. Den Teig durchkneten, ausrollen und Plätzchen von 5 cm Ø ausstechen.

4 Die Form aus dem Ofen nehmen und die Temperatur auf 200 °C erhöhen. Die Plätzchen am Rand der Form auslegen, mit der restlichen Ei-Milch-Masse bestreichen und mit dem übrigen Käse bestreuen. Weitere 10 Minuten goldbraun backen. Mit Oregano garniert servieren.

3

1

4

Pikanter Kartoffel-Zitronen-Topf

Für 4 Personen

100 ml Olivenöl

2 rote Zwiebeln, geachtelt

3 Knoblauchzehen, zerdrückt

2 TL gemahlener Kreuzkümmel

2 TL gemahlener Koriander

1 Prise Cayennepfeffer

1 Karotte, in Scheiben geschnitten

2 kleine weiße Rüben, geviertelt

1 Zucchini, in Scheiben geschnitten

450 g Kartoffeln, in Scheiben

Saft und Schale von 2 Zitronen

300 ml Gemüsebrühe

Salz und Pfeffer

2 EL frisch gehackter Koriander

TIPP

Überprüfen Sie gelegentlich, ob die Gemüsestücke nicht ansetzen. Geben Sie, falls nötig, noch etwas kochendes Wasser oder Gemüsebrühe zu. Stets eine Auswahl verschiedener Gewürze und Kräuter vorrätig zu haben, lohnt sich: Sie verleihen Ihren Gerichten Abwechslung.

1 Das Öl in einem feuerfesten Topf erhitzen.

2 Die Zwiebeln zugeben und unter Rühren 3 Minuten dünsten.

3 Den Knoblauch zufügen und 30 Sekunden dünsten. Die Gewürze zugeben und unter Rühren 1 weitere Minute dünsten.

4 Karotte, Rüben, Zucchini und Kartoffeln zugeben und verrühren.

5 Zitronensaft und -schale sowie Gemüsebrühe zufügen und mit Salz und Pfeffer abschmecken. Abgedeckt bei mittlerer Hitze 20–30 Minuten garen. Gelegentlich umrühren.

6 Den Deckel abnehmen, die Mischung mit Koriander bestreuen und gut umrühren. Sofort servieren.

6

Nudel-Bohnen-Eintopf

Für 4 Personen

250 g getrocknete weiße Bohnen, über Nacht eingeweicht und abgetropft
250 g Penne
6 EL Olivenöl
850 ml Gemüsebrühe
2 große Zwiebeln, in Ringen
2 Knoblauchzehen, gehackt
2 Lorbeerblätter
1 TL getrockneter Oregano
1 TL getrockneter Thymian
5 EL Rotwein
2 EL Tomatenmark
2 Selleriestangen, in Scheiben geschnitten
1 Fenchelknolle, in Streifen geschnitten
120 g Champignons, in Scheiben geschnitten
250 g Tomaten, in Scheiben
Salz und Pfeffer
1 TL brauner Zucker
4 EL Semmelbrösel
Salatblätter und Baguette, zum Servieren

1 Die Bohnen in einem Topf mit kaltem Wasser bedecken. Aufkochen und 20 Minuten garen. Abgießen und warm stellen.

2 Den Backofen auf 180 °C vorheizen. Die Penne in kochendem Salzwasser mit 1 Esslöffel Öl etwa 3 Minuten kochen. Abgießen und warm stellen.

3 Die Bohnen in eine große Auflaufform geben. Die Brühe zugießen und das restliche Öl, Zwiebeln, Knoblauch, Lorbeerblätter, Oregano, Thymian, Wein und Tomatenmark einrühren.

4 Aufkochen, abdecken und 2 Stunden im Backofen garen.

5 Nudeln, Sellerie, Fenchel, Champignons und Tomaten zugeben und abschmecken.

6 Den Zucker einrühren und mit Semmelbröseln bestreuen. Abdecken und 1 weitere Stunde im Ofen garen. Heiß mit Salatblättern und Baguette servieren.

3

6

5

Linsen-Reis-Topf

Für 4 Personen

225 g rote Linsen
100 g Langkornreis
1 l Gemüsebrühe
150 ml trockener Weißwein
1 Porreestange, in dicke Stücke geschnitten
3 Knoblauchzehen, zerdrückt
400 g Tomaten aus der Dose, gewürfelt
1 TL gemahlener Kreuzkümmel
1 TL Chilipulver
1 TL Garam masala
1 rote Paprikaschote, in Streifen
100 g kleine Brokkoliröschen
8 Babymaiskolben, längs halbiert
50 g grüne Bohnen, halbiert
1 EL frisch gehacktes Basilikum
Salz und Pfeffer
frische Basilikumzweige, zum Garnieren

1 Linsen, Reis, Gemüsebrühe und Weißwein in einem feuerfesten Topf bei schwacher Hitze 20 Minuten köcheln lassen, dabei umrühren.

2 Porree, Knoblauch, Tomaten, Kreuzkümmel, Chilipulver, Garam masala, Paprika, Brokkoli, Mais und Bohnen hinzugeben.

VARIATION

Sie können für dieses Rezept auch eine andere Reissorte wie z. B. Naturreis verwenden.

3 Die Mischung aufkochen, die Hitze reduzieren, den Topf abdecken und alles 10–15 Minuten köcheln lassen.

4 Das gehackte Basilikum zugeben und anschließend mit Salz und Pfeffer abschmecken.

5 Mit frischem Basilikum garnieren und sofort servieren.

Kichererbsen-Gemüse-Topf

Für 4 Personen

1 EL Olivenöl

1 rote Zwiebel, in Ringe geschnitten

3 Knoblauchzehen, zerdrückt

250 g frischer Spinat

1 Fenchelknolle, geachtelt

1 rote Paprika, in große Stücke geschnitten

1 EL Mehl

450 ml Gemüsebrühe

85 ml trockener Weißwein

400 g Kichererbsen aus der Dose, abgetropft

1 Lorbeerblatt

1 TL gemahlener Koriander

½ TL Paprikapulver

Salz und Pfeffer

Fenchelkraut, zum Garnieren

1 Das Olivenöl in einem großen Topf erhitzen, Zwiebel und Knoblauch 1 Minute andünsten. Den Spinat zugeben und 4 Minuten dünsten.

2 Fenchel und Paprika zufügen und weitere 2 Minuten unter Rühren dünsten.

3 Mehl einrühren und 1 Minute schmoren.

4 Brühe, Wein, Kichererbsen, Lorbeerblatt, Koriander und Paprika zufügen, im abgedeckten Topf 30 Minuten köcheln lassen. Salzen und pfeffern, mit dem Fenchelkraut garnieren und sofort servieren.

TIPP

Verwenden Sie statt der Kichererbsen andere Hülsenfrüchte oder gemischte Bohnen.

VARIATION

Sie können den Koriander durch gemahlene Muskatnuss ersetzen, die gut zu Spinat passt.

Gemüse-Allerlei

Für 4 Personen

2 große Kartoffeln, in dünne Scheiben geschnitten
2 EL Öl
1 rote Zwiebel, in Ringe geschnitten
1 Porreestange, in Ringe geschnitten
2 Knoblauchzehen, zerdrückt
1 Karotte, in dicke Stücke geschnitten
100 g Brokkoliröschen
100 g Blumenkohlröschen
2 kleine weiße Rüben, geviertelt
1 EL Mehl
700 ml Gemüsebrühe
150 g trockener Cidre
1 Apfel, in Scheiben geschnitten
2 EL frisch gehackter Salbei
1 Prise Cayennepfeffer
Salz und Pfeffer
50 g Gouda, gerieben

1 Kartoffelscheiben 10 Minuten in Salzwasser kochen, abgießen und beiseite stellen.

2 Den Backofen auf 190 °C vorheizen. Das Öl in einer Kasserolle erhitzen, Zwiebel, Porree und Knoblauch 2–3 Minuten darin andünsten. Die übrigen Gemüsesorten zugeben und unter Rühren 3–4 Minuten schmoren.

3 Das Mehl zugeben und 1 weitere Minute schmoren. Brühe und Cidre nach und nach zugeben und die Mischung aufkochen. Apfel, Salbei, Cayennepfeffer sowie Salz und Pfeffer zugeben. Vom Herd nehmen und die Mischung in eine Auflaufform geben.

TIPP

Wenn die Kartoffeln zu schnell braun werden, decken Sie sie für die letzten 10 Minuten der Backzeit mit Alufolie ab.

2

3

4

4 Die Gemüsemischung mit den Kartoffelscheiben bedecken.

5 Den Käse auf die Kartoffeln streuen und im Backofen 30–35 Minuten goldbraun backen. Sofort servieren.

Süß-saurer Auberginensalat

Für 4 Personen

2 große Auberginen
Salz und Pfeffer
2 EL Olivenöl
4 Knoblauchzehen, zerdrückt
1 Zwiebel, geachtelt
4 große Tomaten, gewürfelt
3 EL frisch gehackte Minze
150 ml Gemüsebrühe
4 TL brauner Zucker
2 EL Rotweinessig
1 Chiliflocken
frische Minzezweige,
zum Garnieren

1 Die Auberginen in Würfel schneiden. In ein Sieb geben, mit Salz bestreuen und 30 Minuten ziehen lassen. Gründlich unter kaltem Wasser abspülen und gut abtropfen lassen. So werden die Bitterstoffe aus den Auberginen geschwemmt. Mit Küchenpapier trockentupfen.

1

2 Öl in einer Pfanne erhitzen und die Auberginen unter Rühren 1–2 Minuten andünsten.

3 Knoblauch und Zwiebel zugeben. Weitere 2–3 Minuten dünsten.

3

4 Tomaten, Minze und Brühe zugeben, den Topf abdecken und alles 15–20 Minuten kochen, bis die Gemüsestücke gar sind.

4

5 Zucker, Rotweinessig und Chili einrühren, mit Salz und Pfeffer abschmecken und noch 2–3 Minuten kochen. Mit den Minzezweigen garnieren und servieren.

TIPP

Minze ist in der arabischen Küche ein beliebtes Gewürz. Es lohnt sich, Minze selbst anzupflanzen, da sie in einer Vielzahl von vegetarischen Gerichten verwendet werden kann. Sie gedeiht im Blumentopf oder Balkonkasten.

Blumenkohlauflauf

Für 4 Personen

450 g Blumenkohlröschen
4 große Kartoffeln, gewürfelt
100 g Kirschtomaten
frisch gehackte Petersilie, zum Garnieren

SAUCE
40 g Butter oder Margarine
1 Porreestange, in Ringe geschnitten
1 Knoblauchzehe, zerdrückt
25 g Mehl
400 ml Milch
75 g gemischter Käse (z. B. Gouda, Parmesan und Gruyère), gerieben
½ TL Paprikapulver
2 EL frisch gehackte glatte Petersilie
Salz und Pfeffer

1 Den Blumenkohl 10 Minuten kochen, abgießen und beiseite stellen. Unterdessen die Kartoffeln 10 Minuten in einem zweiten Topf kochen, abgießen und ebenfalls beiseite stellen.

2 Den Backofen auf 180 °C vorheizen. Für die Sauce die Butter oder Margarine in einem Topf zerlassen, Porree und Knoblauch 1 Minute andünsten. Das Mehl zugeben und 1 Minute mitdünsten. Den Topf vom Herd nehmen, nach und nach Milch, 50 g Käse, Paprika und Petersilie einrühren. Den Topf zurück auf den Herd stellen und die Mischung unter Rühren aufkochen. Salzen und pfeffern.

3 Den Blumenkohl in eine tiefe Auflaufform geben. Die Kirschtomaten zugeben und mit den Kartoffeln bedecken. Die Sauce über die Kartoffeln gießen und mit dem übrigen Käse bestreuen.

4 Im Ofen 20 Minuten backen, bis das Gemüse gar und der Käse goldbraun ist und Blasen wirft. Mit Petersilie garnieren und servieren.

VARIATION

Für dieses Gericht kann statt Blumenkohl auch Brokkoli verwendet werden.

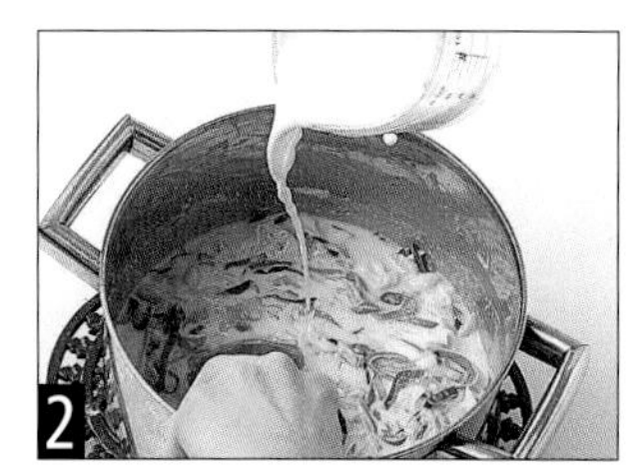
2

3

3

Käse-Kartoffel-Schichtauflauf

Für 4 Personen

500 g Kartoffeln

2 Porreestangen, in Ringe geschnitten

3 Knoblauchzehen, zerdrückt

130 g Gouda, gerieben

50 g Mozzarella, gerieben

2 EL frisch gehackte Petersilie

200 g Schlagsahne

200 ml Milch

Salz und Pfeffer

frisch gehackte glatte Petersilie, zum Garnieren

1 Den Backofen auf 160 °C vorheizen. Kartoffeln schälen und 10 Minuten in Salzwasser kochen, dann abgießen.

2 Die Kartoffeln in dünne Scheiben schneiden. Eine Schicht Kartoffeln auf den Boden einer Auflaufform legen. Etwas Porree, Knoblauch, Käse und Petersilie darauf verteilen.

3 Die Schichten wiederholen, bis alle Zutaten aufgebraucht sind; mit einer Käseschicht abschließen.

4 Sahne und Milch verrühren, mit Salz und Pfeffer abschmecken und über den Schichtauflauf gießen.

5 Im Ofen 60–75 Minuten backen, bis der Käse goldbraune Blasen wirft und die Kartoffeln gar sind.

6 Mit der Petersilie garnieren und sofort servieren.

2

2

4

TIPP

Da Parmesan schnell an Aroma verliert, ist es besser, ihn in kleinen Stücken zu kaufen und nur bei Bedarf portionsweise zu reiben. Der Rest lässt sich, in Alufolie gewickelt, im Kühlschrank aufbewahren.

Gemüse auf Pfannkuchenteig

Für 4 Personen

TEIG

100 g Mehl

1 Prise Salz

2 Eier, verquirlt

200 ml Milch

2 EL körniger Senf

2 EL Pflanzenöl

FÜLLUNG

25 g Butter

2 Knoblauchzehen, zerdrückt

1 Zwiebel, geachtelt

100 g junge Karotten, längs halbiert

75 g grüne Bohnen

75 g Mais aus der Dose, abgetropft

2 Tomaten, entkernt und gewürfelt

1 TL körniger Senf

1 EL frisch gehackte gemischte Kräuter

Salz und Pfeffer

TIPP

Es ist wichtig, dass das Öl in der Auflaufform richtig heiß ist, damit der Teig sofort zu garen und aufzugehen beginnt.

1 Den Backofen auf 200 °C vorheizen. Für den Teig das Mehl in eine große Schüssel sieben, Salz untermischen. In die Mitte eine Vertiefung drücken, Eier und Milch hineingeben und mit dem Mehl verrühren. Den Senf hineinmischen und beiseite stellen.

2 Das Öl in eine flache Auflaufform geben und im Backofen 10 Minuten erhitzen.

3 Für die Füllung Butter in einer Pfanne zerlassen, Knoblauch und Zwiebel 2 Minuten unter Rühren darin dünsten. Karotten und Bohnen 7 Minuten bissfest kochen, gründlich abtropfen lassen.

4 Mais und Tomaten mit Senf und Kräutern in die Pfanne geben. Salzen und pfeffern, Karotten und Bohnen zufügen.

5 Die Form aus dem Ofen nehmen und den Teig hineingießen. Die Gemüsemischung darauf verteilen und 30–35 Minuten backen, bis der Teig aufgegangen und fest geworden ist. Sofort servieren.

Blumenkohl und Brokkoli mit Kräutersauce

Für 4 Personen

2 sehr kleine Köpfe Blumenkohl
225 g Brokkoli
SAUCE
8 EL Olivenöl
50 g Butter oder Margarine
2 TL geriebener Ingwer
Saft und abgeriebene Schale von 2 Zitronen
5 EL frisch gehackter Koriander
Salz und Pfeffer
5 EL frisch geriebener Gouda

1 Die Blumenkohlköpfe mit einem scharfen Messer halbieren und den Brokkoli in große Rosen schneiden.

2 Blumenkohl und Brokkoli in Salzwasser 10 Minuten kochen. Gut abgießen, in eine flache Auflaufform legen und bis zur Weiterverarbeitung warm stellen.

3 Den Backofengrill vorheizen. Für die Sauce Öl und Butter oder Margarine in einer Pfanne langsam erhitzen, bis die Butter schmilzt. Ingwer, Zitronensaft und -schale sowie Koriander zufügen und 2–3 Minuten garen, dabei gelegentlich umrühren.

4 Die Sauce mit Salz und Pfeffer abschmecken. Dann über die Gemüsestücke gießen und alles mit Käse bestreuen.

5 Unter dem vorgeheizten Grill 2–3 Minuten überbacken, bis der Käse Blasen wirft. 1–2 Minuten abkühlen lassen und servieren.

VARIATION

Limette und Orange anstelle der Zitrone ergeben eine fruchtige und erfrischende Sauce.

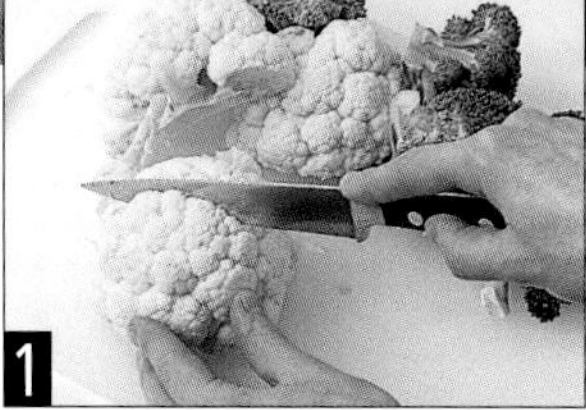
1

3

4

Grüne Tagliatelle mit Knoblauch

Für 4 Personen

2 EL Walnussöl
1 Bund Frühlingszwiebeln, in Scheiben geschnitten
2 Knoblauchzehen, in dünne Scheiben geschnitten
250 g Champignons, in Scheiben geschnitten
500 g grüne und weiße Tagliatelle
1 EL Olivenöl
250 g Spinat, Tiefkühlware aufgetaut und abgetropft
120 g Frischkäse mit Kräutern
4 EL Schlagsahne
Salz und Pfeffer
60 g ungesalzene Pistazien, gehackt
2 EL frisch gehacktes Basilikum
Basilikumblätter, zum Garnieren
Weißbrot, zum Servieren

1 Das Walnussöl in einer großen Pfanne erhitzen. Frühlingszwiebeln und Knoblauch zugeben und 1 Minute andünsten.

2 Die Champignons zugeben, durchrühren, abdecken und 5 Minuten bei schwacher Hitze garen.

3 Unterdessen Salzwasser in einem großen Topf aufkochen. Die Tagliatelle darin mit dem Olivenöl bissfest garen. Gründlich abgießen und zurück in den Topf geben.

4 Den Spinat in die Pfanne geben und unter Rühren 1–2 Minuten erhitzen. Den Käse esslöffelweise zugeben und schmelzen lassen. Die Sahne einrühren und erhitzen, nicht kochen!

5 Die Sauce über die Nudeln geben, mit Salz und Pfeffer abschmecken und gut vermengen. Unter ständigem Rühren bei mittlerer Hitze 2–3 Minuten erwärmen.

6 Die Nudeln auf einem Servierteller anrichten und mit Pistazien und Basilikum bestreuen. Mit den Basilikumblättern garnieren und servieren. Dazu Weißbrot reichen.

2

4

5

Überbackene Käse-Tomaten-Makkaroni

Für 4 Personen

400 g kurze Makkaroni
175 g Gouda, gerieben
100 g geriebener Parmesan
15 g Butter oder Margarine,
plus etwas mehr zum Einfetten
Salz und Pfeffer
4 EL frische Semmelbrösel
1 EL gehacktes Basilikum

TOMATENSAUCE
1 EL Olivenöl
1 Schalotte, fein gehackt
2 Knoblauchzehen, zerdrückt
800 g Tomaten aus der Dose,
gewürfelt
2 EL frisch gehacktes Basilikum
Salz und Pfeffer

TIPP

Statt Makkaroni können auch andere Pastasorten wie Penne verwendet werden.

1 Für die Tomatensauce das Öl in einem Topf erhitzen, Schalotte und Knoblauch 1 Minute darin andünsten. Tomaten, Basilikum sowie Salz und Pfeffer nach Belieben zugeben und 10 Minuten unter Rühren bei mittlerer Hitze kochen.

2 In der Zwischenzeit die Makkaroni 8 Minuten in Salzwasser fast gar kochen und abgießen.

3 Den Ofen auf 190 °C vorheizen. Beide Käsesorten in einer Schüssel mischen.

4 Eine tiefe Auflaufform einfetten. Ein Drittel Tomatensauce auf dem Boden verteilen, mit einem Drittel Makkaroni und einem Drittel Käse bedecken. Die Schichtung zweimal wiederholen.

5 Semmelbrösel und Basilikum mischen und auf den Auflauf streuen. Die Butter oder Margarine in Flocken darauf geben und im Ofen 25 Minuten überbacken, bis der Käse Blasen wirft. Dann heiß servieren.

4

4

5

Gemüse-Lasagne

Für 4 Personen

1 Aubergine, in Scheiben geschnitten
Salz und Pfeffer
3 EL Olivenöl
2 Knoblauchzehen, zerdrückt
1 rote Zwiebel, in Ringe geschnitten
1 grüne Paprika, gewürfelt
1 rote Paprika, gewürfelt
1 gelbe Paprika, gewürfelt
225 g gemischte Pilze, in Scheiben geschnitten
2 Selleriestangen, in Scheiben geschnitten
1 Zucchini, gewürfelt
½ TL Chilipulver
½ TL gemahlener Kreuzkümmel
2 Tomaten, gewürfelt
300 ml passierte Tomaten
2 EL frisch gehacktes Basilikum
8 grüne Lasagneblätter

KÄSESAUCE
25 g Butter oder Margarine
1 EL Mehl
150 ml Gemüsebrühe
300 ml Milch
75 g Gouda, gerieben
1 TL Dijonsenf
1 EL frisch gehacktes Basilikum
1 Ei, verquirlt

1 Die Auberginen salzen und 20 Minuten ziehen lassen. Gründlich mit kaltem Wasser abspülen und beiseite stellen.

2 Das Öl erhitzen, Knoblauch und Zwiebel andünsten. Paprika, Pilze, Sellerie und Zucchini zugeben und 2–3 Minuten schmoren. Die Gewürze hineinrühren und 1 Minute weiterkochen.

3 Gewürfelte und passierte Tomaten und Basilikum gründlich mischen. Mit Salz und Pfeffer abschmecken. Backofen auf 180 °C vorheizen.

4

4

4 Für die Sauce Butter oder Margarine schmelzen, das Mehl zugeben und 1 Minute anschwitzen. Vom Herd nehmen, Brühe und Milch einrühren. Wieder auf den Herd stellen und die Hälfte des Käses und den Senf zugeben. Unter ständigem Rühren kochen und eindicken lassen. Basilikum unterheben, vom Herd nehmen und das Ei hineinrühren. Die Hälfte der Lasagneblätter in eine Auflaufform geben. Die Hälfte der Gemüsemischung sowie der Tomatensauce darauf verteilen. Die Hälfte der Auberginen darauf schichten. Den Vorgang wiederholen, mit der Käsesauce übergießen, mit dem restlichen Käse bestreuen und 40 Minuten backen.

Fisch & Meeresfrüchte

Die Auswahl an Fischen und Meeresfrüchten ist groß, und dementsprechend vielfältig sind auch die Zubereitungsarten. Da Fisch duftende Gewürze und Aromen besonders gut zur Entfaltung bringt, eignet er sich hervorragend für Suppen, Eintöpfe und Schmorgerichte. Jambalaja (s. S. 232), Thailändische Fischsuppe (s. S. 222) oder Bouillabaisse (s. S. 236) sind so unterschiedlich wie ihre Ursprungsländer, doch schmecken sie alle herrlich und sind einfach zubereitet. Eine ebenfalls gelungene Kombination ist die von Fisch und Reis wie im Garnelenrisotto (s. S. 231) oder von Fisch und Meeresfrüchten mit Chillies und anderen Gewürzen wie im Goanischen Fischcurry (s. S. 234). Sie finden hier Rezepte für preiswerte Familienmahlzeiten ebenso wie für festliche Menüs, und alle Arten von Fischen und Meeresfrüchten sind vertreten – Kabeljau, Krabben, Sardinen, Tintenfische und sogar ein edler Hummer.

Schottische Fischsuppe

Für 4 Personen

225 g geräuchertes Schellfischfilet
25 g Butter
1 Zwiebel, fein gehackt
600 ml Milch
350 g Kartoffeln, gewürfelt
350 g Kabeljaufilet, gewürfelt
150 g Crème double
2 EL frisch gehackte Petersilie
Salz und Pfeffer
Zitronensaft (nach Belieben)
GARNIERUNG
Zitronenscheiben
Petersilienzweige

1 Den Schellfisch in einer großen Pfanne mit kochendem Wasser übergießen und 10 Minuten ziehen lassen. Abgießen und 300 ml Wasser aufbewahren. Den Fisch zerkleinern und eventuelle Gräten entfernen.

2 Die Butter in einem großen Topf zerlassen und die Zwiebel darin 10 Minuten glasig andünsten. Die Milch zugießen, zum Köcheln bringen und die Kartoffeln zugeben. 10 Minuten köcheln lassen.

3 Den zerkleinerten Schellfisch und den Kabeljau zugeben und weitere 10 Minuten köcheln lassen.

TIPP

Am einfachsten gelingt dieses Rezept mit fertig gehäutetem Filetfilsch. Aber Sie können natürlich auch ganze Fische selbst häuten und entgräten.

2

3

4

4 Etwa ein Drittel des Fischs und der Kartoffeln herausnehmen und im Mixer glatt pürieren. Mit Crème double und Petersilie wieder in die Suppe geben. Mit Salz, Pfeffer und Zitronensaft abschmecken. Wenn die Suppe zu dickflüssig ist, ein wenig zurückbehaltenes Wasser zugießen. Auf mittlerer Stufe erhitzen und die Suppe mit Zitronenscheiben und Petersilie garniert servieren.

Mediterrane Fischsuppe

Für 4 Personen

1 EL Olivenöl
1 große Zwiebel, gehackt
2 Knoblauchzehen, fein gehackt
425 ml Fischfond
150 ml trockener Weißwein
1 Lorbeerblatt
je 1 Zweig Thymian, Rosmarin und Oregano
450 g festes Weißfischfilet (z. B. Dorsch bzw. Kabeljau), in 2,5-cm-Würfel geschnitten
450 g Miesmuscheln, abgebürstet und Bärte entfernt
400 g Tomaten aus der Dose, gewürfelt
225 g Krabben
Salz und Pfeffer
Thymianzweige, zum Garnieren
ZUM SERVIEREN
Zitronenspalten
4 Scheiben Baguette, geröstet und mit einer aufgeschnittenen Knoblauchzehe eingerieben

1 Das Öl in einem großen Topf erhitzen. Anschließend Zwiebel und Knoblauch zugeben und 2–3 Minuten leicht anbraten.

2 Fischfond und Weißwein in den Topf gießen und aufkochen.

3 Das Lorbeerblatt und die Kräuter mit Küchengarn zusammenbinden, dann mit dem Fisch und den Muscheln in den Topf geben. Umrühren, abdecken und 5 Minuten bei schwacher Hitze köcheln lassen.

4 Tomaten und Krabben zugeben und weitere 3–4 Minuten kochen, bis der Fisch gar ist.

5 Die Kräuter entfernen. Muscheln, die noch geschlossen sind, entfernen und wegwerfen. Suppe salzen, pfeffern und auf vorgewärmte Suppenschalen verteilen.

6 Mit Thymianzweigen garnieren und mit Zitronenspalten und Knoblauchbaguette servieren.

Fischsuppe mit gegrillten Tomaten

Für 4 Personen

5 reife Tomaten

5 Knoblauchzehen, mit Schale

500 g Filet vom Red Snapper, ersatzweise vom Rotbarsch, in Stücke geschnitten

1 l Fischfond

2–3 EL Olivenöl

1 Zwiebel, gehackt

2 grüne Chillies, entkernt und in dünne Streifen geschnitten

1–2 Limetten, in Spalten geschnitten, zum Servieren

1 Eine beschichtete Pfanne ohne Fett erhitzen, ganze Tomaten und Knoblauchzehen hineingeben und so lange rösten, bis die Schalen schwarz werden und das Gemüse zu garen beginnt. Alternativ Tomaten und Knoblauch etwa 40 Minuten bei 190–200 °C in einem vorgeheizten Backofen rösten.

2 Gemüse abkühlen lassen. Dann die Tomaten und Knoblauchzehen schälen, grob hacken und zusammen mit dem beim Rösten ausgetretenen Saft beiseite stellen.

3 Die Fischstücke bei mittlerer Hitze im Fond pochieren, bis das Fleisch weißlich und fest ist. Vom Herd nehmen, den Fond in eine Schüssel abgießen und ebenso wie den Fisch beiseite stellen.

4 Öl in einer Pfanne erhitzen, Zwiebel darin andünsten. Erkalteten Fond, Tomaten und Knoblauchzehen zugeben und alles gut verrühren.

5 Die Suppe aufkochen, dann die Hitze reduzieren und die Suppe 5 Minuten köcheln lassen. Zuletzt die Chillies zugeben.

6 Die Fischstücke auf Suppenteller verteilen, mit der heißen Suppe übergießen und mit Limettenspalten servieren.

Thailändische Fischsuppe

Für 4 Personen

450 ml Hühnerbrühe
2 Kaffir-Limettenblätter, gehackt
5-cm-Stück Zitronengras, gehackt
3 EL Zitronensaft
3 EL thailändische Fischsauce
2 kleine grüne Chillies, entkernt und fein gehackt
½ TL Zucker
8 kleine Shiitake-Pilze oder 8 Strohpilze, halbiert
450 g Garnelen, ausgelöst
Frühlingszwiebeln, zum Garnieren

TOM-YUM-SAUCE
4 EL Öl
5 Knoblauchzehen, fein gehackt
1 große Schalotte, fein gehackt
2 große getrocknete rote Chillies, grob gehackt
1 EL getrocknete Krabben (nach Belieben)
1 EL thailändische Fischsauce
2 TL Zucker

1 Für die Sauce das Öl in einem Topf erhitzen, den Knoblauch einige Sekunden anbräunen und mit einem Schaumlöffel herausnehmen. Die Schalotte ins Öl geben und anbraten. Mit einem Schaumlöffel herausnehmen. Die Chillies dunkel anbraten, aus dem Öl nehmen und auf Küchenpapier abtropfen lassen. Den Topf vom Herd nehmen und das Öl aufbewahren.

2 Ggf. die getrockneten Krabben in einem Mixer oder Mörser zerkleinern und mit Chillies, Knoblauch und Schalotte zu einer glatten Paste verarbeiten. Topf mit Öl wieder auf den Herd stellen, die Paste zugeben und erwärmen. Fischsauce und Zucker einrühren. Vom Herd nehmen.

TIPP

Küchenfertige Tom-Yum-Sauce im Glas ist im Asia-Shop erhältlich.

3 Brühe und 2 Esslöffel Tom-Yum-Sauce in einem großen Topf erhitzen. Limettenblätter, Zitronengras, Zitronensaft, Fischsauce, Chillies und Zucker zugeben und 2 Minuten sanft köcheln lassen.

4 Pilze und Garnelen zugeben und weitere 2–3 Minuten köcheln lassen, bis die Garnelen gar sind. Auf Teller verteilen und mit Frühlingszwiebeln garniert servieren.

2

3

4

Chinesische Krebssuppe mit Mais

Für 4 Personen

1 EL Öl
1 kleine Zwiebel, fein gehackt
1 Knoblauchzehe, fein gehackt
1 TL frisch geriebener Ingwer
1 kleine rote Chili, entkernt
und fein gehackt
2 EL trockener Sherry oder
chinesischer Reiswein
220 g weißes Krebsfleisch
300 g Mais aus der Dose,
abgetropft
600 ml Hühnerbrühe
1 EL helle Sojasauce
2 EL frisch gehackter Koriander
Salz und Pfeffer
2 Eier, leicht verquirlt
Chiliblüten, zum Garnieren (s. u.)

1 Für die Chiliblüten eine Chili mit den Fingerspitzen am Stiel festhalten und mit einem sehr spitzen, scharfen Messer längs aufschneiden, dann jede Hälfte nochmals längs aufschneiden. Die Kerne entfernen und weiter Längsschnitte setzen, bis etwa 8–16 „Blütenblätter" entstanden sind. Die Blüte in Eiswasser legen, damit sie sich „öffnet".

2 Das Öl in einem großen Topf erhitzen und die Zwiebel darin unter gelegentlichem Rühren 5 Minuten bei schwacher Hitze glasig dünsten. Knoblauch, Ingwer und Chili zugeben und 1 weitere Minute dünsten.

3 Sherry oder Reiswein zugießen und bei mittlerer Hitze köchelnd um die Hälfte reduzieren. Krebsfleisch, Mais, Hühnerbrühe und Sojasauce zugeben, aufkochen und 5 Minuten sanft köcheln lassen. Den Koriander einrühren. Salzen und pfeffern.

4 Topf vom Herd nehmen und die Eier zugeben. Kurz warten, dann rühren, um das Ei in Streifen zu ziehen. Mit Chiliblüten garniert servieren.

Meeresfrüchte-Eintopf

Für 4–6 Personen

225 g Venusmuscheln
700 g gemischter Fisch, z. B. Barsch, Rochen, Red Snapper oder ein anderer Mittelmeerfisch
12–18 Riesengarnelen
ca. 3 EL Olivenöl
1 große Zwiebel, fein gehackt
2 Knoblauchzehen, sehr fein gehackt
2 reife Tomaten, halbiert, entkernt und gehackt
700 ml Fischfond, gekühlt
1 EL Tomatenmark
1 EL frische Thymianblätter
1 Msp. Safran
1 Prise Zucker
Salz und Pfeffer
fein gehackte frische Petersilie, zum Garnieren

1 Die Muscheln 30 Minuten in einer Schüssel mit leicht gesalzenem Wasser einweichen. Abgießen und unter kaltem Wasser abbürsten. Zerbrochene und offene Muscheln, die sich nicht schließen, wenn man mit einem Messergriff darauf klopft, wegwerfen.

2 Den Fisch küchenfertig vorbereiten, Haut und Gräten entfernen und den Fisch in mundgerechte Stücke schneiden.

3 Die Köpfe der Garnelen abbrechen und das Fleisch auslösen. Mit einem kleinen Messer die Garnelen am Rücken aufschlitzen und den schwarzen Darm entfernen. Fisch und Meeresfrüchte beiseite stellen.

4 Das Öl in einer Pfanne erhitzen. Die Zwiebel zufügen und 5 Minuten unter Rühren andünsten. Den Knoblauch zugeben und weitere 2 Minuten garen.

5 Tomaten, Fischfond, Tomatenmark, Thymian, Safran und Zucker zugeben und alles unter Rühren aufkochen. Die Hitze reduzieren, Mischung abdecken und 15 Minuten leise kochen. Mit Salz und Pfeffer abschmecken.

6 Meeresfrüchte und Fisch in den Topf geben und mitkochen, bis sich die Muscheln öffnen und der Fisch zerfällt. Geschlossene Muscheln wegwerfen. Mit Petersilie garnieren und sofort servieren.

1

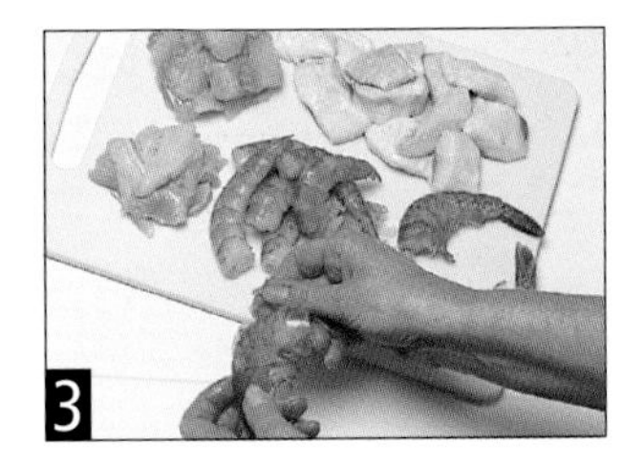
3

6

Garnelen in Bohnensauce

Für 4 Personen

2 EL Pflanzenöl
3 Zwiebeln, gehackt
5 Knoblauchzehen, zerdrückt
5–7 reife Tomaten
175–225 g grüne Bohnen, in ca. 5 cm lange Stücke geschnitten und 10 Min. gekocht
¼ TL gemahlener Kreuzkümmel
1 Prise Piment
1 Prise Zimt
½–1 in Adobo-Marinade eingelegte Chipotle-Chili, mit etwas Marinade
450 ml Fischfond oder -brühe
450 g Garnelen, ausgelöst
frische Korianderzweige, zum Garnieren
1 Limette, in Spalten geschnitten

VARIATION

Falls erhältlich, eingelegte und in Streifen geschnittene Nopales – essbare Kaktusblätter – mit in die Sauce geben.

1 Das Öl in einer Pfanne erwärmen. Zwiebeln und Knoblauch darin bei niedriger Hitze 5–10 Minuten weich dünsten. Tomaten zugeben und 2 Minuten kochen.

2 Grüne Bohnen, Kreuzkümmel, Piment, Zimt, Chili mit Marinade und Brühe zugeben. Aufkochen, dann herunterschalten und die Sauce einige Minuten köcheln lassen.

3 Garnelen zugeben und 1–2 Minuten mitkochen. Die Pfanne vom Herd nehmen und die Garnelen in der heißen Sauce ziehen lassen, bis sie sich hellrot verfärbt haben.

4 Das fertige Gericht mit etwas Koriander garnieren und mit den Limettenspalten servieren.

Tintenfisch mit Tomaten und Kapern

Für 4 Personen

3 EL Olivenöl

900 g küchenfertiger Tintenfisch, in Ringe geschnitten

Salz und Pfeffer

1 Zwiebel, gehackt

3 Knoblauchzehen, zerdrückt

400 g Tomaten aus der Dose, gewürfelt

½–1 grüne Chili, entkernt und gehackt

1 EL frisch gehackte Petersilie

¼ TL frisch gehackter Thymian

¼ TL frisch gehackter Oregano

¼ TL frisch gehackter Majoran

1 Prise Zimt

1 Prise Piment

1 Prise Zucker

15–20 mit Paprika gefüllte grüne Oliven

1 EL Kapern

1 EL frisch gehackter Koriander, zum Garnieren

1 Das Öl in einem Topf erhitzen. Die Tintenfischstücke darin leicht anbraten, bis sie sich weißlich verfärbt haben. Dann mit Salz und Pfeffer würzen, mit einem Schaumlöffel herausnehmen und beiseite stellen.

1

2 Zwiebel und Knoblauch in den Topf geben und in dem darin verbliebenen Sud weich dünsten. Dann Tomaten, Chili, Kräuter, Zimt, Piment, Zucker und Oliven zugeben. Den Topf abdecken und die Sauce bei mittlerer Hitze etwa 5–10 Minuten kochen und leicht eindicken lassen. Den Topfdeckel entfernen und die Sauce weitere 5 Minuten einkochen lassen.

2

3

3 Die Kapern und die vorgekochten Tintenfischstücke mit der eventuell ausgetretenen Flüssigkeit zugeben und gut mit der Sauce mischen.

4 Das fertige Gericht nach Wunsch abschmecken und mit Koriander garniert servieren.

Moules marinières

Für 4 Personen

2 kg Miesmuscheln
4 EL Olivenöl
4–6 große Knoblauchzehen, halbiert
800 g Tomaten aus der Dose, gewürfelt
300 ml trockener Weißwein
3 EL frisch gehackte glatte Petersilie, plus etwas mehr zum Garnieren
1 EL frisch gehackter Oregano
Salz und Pfeffer
Baguette, zum Servieren

1 Die Muscheln 30 Minuten in einer Schüssel mit leicht gesalzenem Wasser stehen lassen. Unter kaltem Wasser abwaschen und gründlich abbürsten, um den Sand von den Schalen zu entfernen. Die Bärte von den Schalen entfernen.

1

2 Zerbrochene oder offene Muscheln, die sich nicht schließen, wenn man mit einem Messergriff auf die Schale klopft, wegwerfen. Die Muscheln erneut abwaschen und in einem Sieb beiseite stellen.

3 Das Olivenöl bei mittlerer Hitze erwärmen. Den Knoblauch zufügen und unter Rühren 3 Minuten dünsten. Mit einem Schaumlöffel den Knoblauch aus der Pfanne nehmen.

4 Tomaten mit Saft, Wein, Petersilie und Oregano in einem Topf unter Rühren aufkochen. Die Hitze reduzieren, den Topf abdecken und 5 Minuten leicht kochen, damit die Aromen sich entfalten.

4

5 Muscheln 5–8 Minuten in der Tomatenmischung köcheln lassen, bis sie sich öffnen. Den Topf dabei rütteln. Muscheln herausnehmen und in eine Schüssel geben, geschlossene Muscheln wegwerfen.

5

6 Die Sauce mit Salz und Pfeffer abschmecken, über die Muscheln gießen und mit Petersilie bestreuen. Mit reichlich Baguette zum Tunken servieren.

Reis mit Meeresfrüchten

Für 4–6 Personen

4 EL Olivenöl
16 große Garnelen, ausgelöst
220 g küchenfertiger Tintenfisch, in Ringe geschnitten
2 grüne Paprika, in Streifen geschnitten
1 große Zwiebel, fein gehackt
4 Knoblauchzehen, fein gehackt
2 Lorbeerblätter
1 TL Safranfäden
½ TL zerdrückte getrocknete Chillies
400 g Arborio-Reis
220 ml trockener Weißwein
850 ml Fischfond, Hühner- oder Gemüsebrühe
Salz und Pfeffer
16 Venusmuscheln, abgebürstet und Bärte entfernt
16 Miesmuscheln, abgebürstet und Bärte entfernt
2 EL frisch gehackte glatte Petersilie

ROTE PAPRIKASAUCE
2–3 EL Olivenöl
2 Zwiebeln, fein gehackt
4–6 Knoblauchzehen, fein gehackt
4–6 eingelegte rote Paprika, gehackt
400 g Tomaten aus der Dose, gewürfelt
1–1½ TL scharfes Paprikapulver

1 Für die Sauce das Öl in einem Topf erhitzen und die Zwiebeln darin 8 Minuten goldbraun dünsten. Den Knoblauch zugeben und 1 Minute mitdünsten. Die restlichen Zutaten zufügen und unter gelegentlichem Rühren etwa 10 Minuten köcheln lassen. Im Mixer pürieren, mit Salz abschmecken und warm stellen.

2 Die Hälfte des Öls in einer Pfanne stark erhitzen. Die Garnelen 2 Minuten unter Rühren anbraten, dann beiseite stellen. Den Tintenfisch 2 Minuten braten und ebenfalls beiseite stellen.

3 Das restliche Öl in der Pfanne erhitzen. Paprika und Zwiebel unter Rühren 6 Minuten weich dünsten. Knoblauch, Lorbeerblätter, Safran und Chillies 30 Sekunden mitdünsten. Den Reis unterrühren.

4 Den Wein zugießen und rühren, bis er verdunstet ist. Brühe, Salz und Pfeffer zugeben. Aufkochen und abdecken. 20 Minuten leicht köcheln lassen, bis der Reis die Flüssigkeit aufgenommen hat und gar ist.

5 Muscheln, die sich nicht geöffnet haben, entfernen. Die Muscheln zugeben und 10 Minuten im geschlossenen Topf mitgaren. Garnelen und Tintenfisch einrühren und alles gut durchwärmen lassen. Mit Petersilie garnieren und mit der Sauce servieren.

2

5

Risotto mit Garnelen und Spargel

Für 4 Personen

1,2 l Gemüsebrühe
380 g grüner Spargel, in 5 cm lange Stücke geschnitten
2 EL Olivenöl
1 Zwiebel, fein gehackt
1 Knoblauchzehe, fein gehackt
375 g Arborio-Reis
450 g Riesengarnelen, ausgelöst
2 EL Olivenpaste oder Tapenade
2 EL frisch gehacktes Basilikum
Salz und Pfeffer
frisch gehobelter Parmesan, zum Garnieren

1 Brühe in einem großen Topf aufkochen. Den Spargel zugeben und 3 Minuten kochen. Abgießen, Brühe aufbewahren und den Spargel unter fließend kaltem Wasser abschrecken. Abtropfen lassen und beiseite stellen.

TIPP

Mit einem Gemüsesschäler können Sie leicht und rasch Parmesanspäne für die Garnierung herstellen.

2 Das Öl in einer großen Pfanne erhitzen und die Zwiebel darin unter gelegentlichem Rühren 5 Minuten bei schwacher Hitze andünsten. Den Knoblauch zugeben und weitere 30 Sekunden dünsten. Den Reis zugeben und 1–2 Minuten rühren, bis er glasig ist.

3 Die Brühe bei schwacher Hitze warm halten. Dann die Hitze unter der Pfanne erhöhen und die Brühe unter Rühren kellenweise zugeben, bis sie fast vollständig aufgenommen ist. Der Vorgang sollte 20–25 Minuten dauern.

4 Mit der letzten Kelle Brühe Garnelen und Spargel zugeben und weitere 5 Minuten kochen, bis die Garnelen und der Reis gar sind und die Brühe aufgenommen ist. Vom Herd nehmen.

5 Olivenpaste oder Tapenade und Basilikum einrühren, mit Salz und Pfeffer abschmecken und kurz ziehen lassen. Dann mit Parmesanspänen garnieren und servieren.

1

3

4

Kreolisches Jambalaja

Für 6–8 Personen

2 EL Öl
80 g geräucherter Schinken, in mundgerechte Stücke geschnitten
80 g geräucherte Schweinswurst, in dicke Stücke geschnitten
2 große Zwiebeln, fein gehackt
3–4 Selleriestangen, in dünne Scheiben geschnitten
2 grüne Paprika, gewürfelt
2 Knoblauchzehen, fein gehackt
200 g Hähnchenbrustfilet, gewürfelt
4 Tomaten, gehäutet und gewürfelt
180 ml passierte Tomaten
450 ml Fischfond
400 g Langkornreis
4 Frühlingszwiebeln, in dünne Ringe geschnitten
250 g Garnelen, ausgelöst, aber mit Schwanzenden
250 g weißes Krebsfleisch
12 Austern, ausgelöst, mit Flüssigkeit

WÜRZMISCHUNG
2 Lorbeerblätter
1 TL Salz
2 TL Cayennepfeffer
1½ TL getrockneter Oregano
1 TL gemahlener weißer und schwarzer Pfeffer (nach Belieben)

1 Die Zutaten für die Würzmischung in einer kleinen Schüssel vermengen.

2 Das Öl in einem Topf bei mittlerer Hitze erwärmen. Schinken und Wurst zugeben und unter häufigem Rühren 8 Minuten goldbraun anbraten. Herausnehmen und auf einen großen Teller legen.

3 Zwiebeln, Sellerie und Paprika in den Topf geben und 4 Minuten dünsten. Den Knoblauch unterrühren, dann alles herausnehmen.

4 Das Hähnchenfleisch in den Topf geben und 3–4 Minuten anbraten. Die Würzmischung einrühren. Schinken, Wurst und Gemüse zugeben und alles vermischen. Gewürfelte und passierte Tomaten zugeben, dann die Brühe zugießen. Aufkochen.

5 Reis einrühren und 12 Minuten köcheln lassen. Frühlingszwiebeln und Garnelen zugeben und abgedeckt 4 Minuten garen.

6 Krebsfleisch und die Austern mit Flüssigkeit zugeben. Köcheln lassen, bis der Reis gar ist und die Austern fest werden. Abgedeckt 3 Minuten ruhen lassen und servieren.

3

4

5

Goanisches Fischcurry

Für 4 Personen

750 g Seeteufelfilet,
in Stücke geschnitten
1 EL Apfelessig
1 TL Salz
1 TL gemahlene Kurkuma
3 EL Öl
2 Knoblauchzehen, zerdrückt
1 kleine Zwiebel, fein gehackt
2 TL gemahlener Koriander
1 TL Cayennepfeffer
2 TL Paprikapulver
2 EL Tamarindenpaste
2 EL kochendes Wasser
80 g Kokoscreme
300 ml warmes Wasser
gekochter Reis, zum Servieren

1 Den Fisch auf einem Teller mit dem Essig beträufeln. Die Hälfte Salz und Kurkuma mischen und den Fisch damit bestreuen. Abdecken und 20 Minuten beiseite stellen.

2 Das Öl in einer Pfanne erhitzen, den Knoblauch darin leicht anbräunen, dann die Zwiebel zugeben und 3–4 Minuten bei schwacher Hitze glasig dünsten. Den Koriander zugeben und 1 Minute weiterrühren.

3 Restliche Kurkuma, Cayennepfeffer und Paprikapulver mit 2 Esslöffeln Wasser zu einer Paste verrühren. Die Paste mit dem restlichen Salz in die Pfanne geben und 1–2 Minuten kochen.

TIPP

Tamarindenpaste aus dem Asia-Shop verleiht Currys einen leicht süß-säuerlichen Geschmack.

4 Tamarindenpaste mit dem kochenden Wasser verrühren. Wenn sich die Kerne herausgelöst haben, die Mischung durch ein Sieb streichen und die Kerne wegwerfen.

5 Kokoscreme, Wasser und Tamarindenpaste in einer Pfanne unter Rühren erhitzen, bis die Kokoscreme aufgelöst ist. Fischstücke und Marinade zugeben und 4–5 Minuten köcheln lassen, bis die Sauce andickt. Mit Reis servieren.

Thailändisches grünes Fischcurry

Für 4 Personen

4 EL Öl
1 Knoblauchzehe, gehackt
1 kleine Aubergine, gewürfelt
120 g Kokoscreme
2 EL thailändische Fischsauce
1 TL Zucker
220 g fester Weißfisch wie Kabeljau, Schellfisch, Heilbutt, in Stücke geschnitten
120 ml Fischfond
2 Kaffir-Limettenblätter, fein gehackt
15 Blätter Basilikum
gekochter Reis oder asiatische Nudeln, zum Servieren

GRÜNE CURRYPASTE
5 grüne Chillies, entkernt und gehackt
2 TL gehacktes Zitronengras
1 große Schalotte, gehackt
2 Knoblauchzehen, gehackt
1 TL frisch geriebener Ingwer
2 frische Korianderzweige, gehackt
½ TL gemahlener Koriander
¼ TL gemahlener Kreuzkümmel
1 Kaffir-Limettenblatt, fein gehackt
1 TL Krabbenpaste (nach Wunsch)
½ TL Salz

1 Alle Zutaten für die Currypaste im Mixer oder der Gewürzmühle zu einer glatten Paste verarbeiten und bei Bedarf etwas Wasser zugeben. Alternativ die Zutaten im Mörser glatt zermahlen. Beiseite stellen.

2 Das Öl in einer Pfanne oder einem Wok bis kurz unter den Rauchpunkt erhitzen und den Knoblauch kurz unter ständigem Rühren goldgelb anbraten. Die Currypaste zugeben und einige Sekunden pfannenrühren, dann die Aubergine zugeben. 4–5 Minuten pfannenrühren.

2

3

3 Die Kokoscreme zugeben, aufkochen und rühren, bis die Creme andickt und leicht gerinnt. Fischsauce und Zucker zugeben und verrühren.

4 Fisch und Fischfond zugeben. Unter gelegentlichem Rühren 3–4 Minuten köcheln lassen, bis der Fisch gar ist. Limettenblätter und Basilikum einstreuen und eine weitere Minute kochen.

5 Auf eine vorgewärmte Platte geben und sofort mit Reis oder Nudeln servieren.

4

Bouillabaisse

Für 6–8 Personen

5 EL Olivenöl
2 große Zwiebeln, fein gehackt
1 Porreestange, fein gehackt
4 Knoblauchzehen, zerdrückt
½ kleine Fenchelknolle, fein gehackt
5 reife Tomaten, gehäutet und fein gewürfelt
1 frischer Thymianzweig
2 Orangenzesten
Salz und Pfeffer
1,7 l heißer Fischfond
2 kg Fisch und Meeresfrüchte, zum Garen vorbereitet und grob in gleich große Stücke geschnitten (außer den Schalentieren)
12–18 dicke Baguettescheiben

PAPRIKA-SAFRAN-SAUCE
1 rote Paprika, entkernt und geviertelt
150 ml Olivenöl
1 Eigelb
1 große Msp. Safran
1 Prise Chiliflocken
Zitronensaft (nach Geschmack)
Salz und Pfeffer

1 Zunächst die Sauce zubereiten. Die Paprikaviertel mit etwas Öl bestreichen und 5–6 Minuten von beiden Seiten unter dem vorgeheizten Backofengrill schwärzen. In einem Gefrierbeutel abkühlen lassen und die Haut abziehen.

2 Paprika, Eigelb, Safran, Chiliflocken, Zitronensaft, Salz und Pfeffer nach Belieben im Mixer glatt pürieren. Das restliche Öl tropfenweise zugeben, dabei weitermixen, bis die Mischung andickt. Dann das Öl in einem dünnen Strahl zugießen, bis eine glatte, dickflüssige Mischung entstanden ist. Bei Bedarf mit etwas Wasser verdünnen.

3 Das Olivenöl in einem großen Topf erhitzen und Zwiebeln, Porree, Knoblauch und Fenchel 10–15 Minuten glasig andünsten, bis sie leicht Farbe annehmen. Tomaten, Thymian und Orangenzesten zugeben. Abschmecken und weitere 5 Minuten dünsten.

4 Den Fischfond zugießen und aufkochen. 10 Minuten köcheln lassen, bis das Gemüse gar ist. Fisch und Meeresfrüchte zugeben und aufkochen, dann 10 Minuten weiterköcheln lassen.

5 Das Baguette rösten. Fisch und Meeresfrüchte auf Tellern anrichten und mit etwas Suppe übergießen. Brot und Sauce separat reichen. Die restliche Suppe in einer Terrine servieren.

1

4

Cotriade

Für 4 Personen

1 Msp. Safran
600 ml heißer Fischfond
1 EL Olivenöl
25 g Butter
1 Zwiebel, in Ringe geschnitten
2 Knoblauchzehen, gehackt
1 Porreestange, in Scheiben
1 kleine Fenchelknolle, in dünne Streifen geschnitten
450 g Kartoffeln, gewürfelt
150 ml trockener Weißwein
1 EL frische Thymianblätter
2 Lorbeerblätter
4 Tomaten, gehäutet und gewürfelt
900 g gemischtes Fischfilet wie Kabeljau, Seehecht, Makrele, Meeräsche, grob gehackt
2 EL frisch gehackte Petersilie
Salz und Pfeffer
Baguette, zum Servieren

TIPP

Wenn der Fisch und das Gemüse gar sind, kann man die Suppe auch im Mixer pürieren oder durch ein Sieb streichen, dann wird sie cremiger.

1 Den Safran im Mörser zerstoßen, zum Fischfond geben, umrühren und 10 Minuten ziehen lassen.

2 Öl und Butter in einem großen Topf erhitzen und die Zwiebel 4–5 Minuten bei schwacher Hitze glasig andünsten. Knoblauch, Porree, Fenchel und Kartoffeln zugeben, abdecken und 10–15 Minuten dünsten, bis das Gemüse gar ist.

3 Den Wein zugießen und 3–4 Minuten stark kochend auf die Hälfte reduzieren. Thymian, Lorbeerblätter und Tomaten zugeben und gründlich durchrühren. Den Fischfond zugießen, aufkochen, abdecken und 15 Minuten bei schwacher Hitze köcheln lassen.

4 Den Fisch zugeben, die Mischung aufkochen und weitere 3–4 Minuten köcheln lassen. Die Petersilie einstreuen und abschmecken. Fisch und Gemüse mit einem Schaumlöffel herausheben, auf einen Servierteller geben und mit der Suppe und Brot servieren.

1

2

4

Garnelen in Tomatensauce

Für 4–6 Personen

3 Zwiebeln

1 grüne Paprika

1 TL Salz

1 Knoblauchzehe, zerdrückt

1 TL frisch geriebener Ingwer

1 TL Chilipulver

2 EL Zitronensaft

350 ausgelöste Garnelen, Tiefkühlware

3 EL Öl

400 g Tomaten aus der Dose

frisch gehackter Koriander, zum Garnieren

gekochter Reis und Salat, als Beilage

TIPP

Frischer Ingwer wird geschält und dann gerieben, geraspelt, fein gehackt oder in dünne Scheiben geschnitten verwendet. Ingwer ist auch in küchenfertiger Pulverform erhältlich, frischer Ingwer schmeckt und würzt jedoch weit intensiver als Ingwerpulver.

1 Die Zwiebeln in Ringe und die Paprika in Streifen schneiden.

2 Salz, Knoblauch, Ingwer und Chilipulver in einer kleinen Schüssel vermischen. Zitronensaft zugeben und alles zu einer glatten Paste verarbeiten.

3 Garnelen in eine Schüssel Wasser legen und zum Auftauen beiseite stellen. Gut abtropfen lassen.

4 Das Öl in einem mittelgroßen Topf erhitzen. Die Zwiebeln zugeben und goldbraun braten.

5 Hitze reduzieren. Die Gewürzpaste zu den Zwiebeln geben und 3 Minuten pfannenrühren.

6 Paprika und Tomaten mit Saft zugeben und alles 5–7 Minuten garen, gelegentlich umrühren.

7 Die aufgetauten Garnelen in den Topf geben und die Mischung ca. 10 Minuten unter gelegentlichem Rühren köcheln lassen. Mit Koriander garnieren und heiß servieren. Dazu Reis und grünen Salat reichen.

Meeresfrüchte-Lasagne

Für 4 Personen

50 g Butter, plus etwas mehr zum Einfetten
5 EL Mehl
1 TL Senfpulver
600 ml Milch
2 EL Olivenöl
1 Zwiebel, gehackt
2 Knoblauchzehen, fein gehackt
1 EL frische Thymianblätter
450 g gemischte Pilze, klein geschnitten
150 ml Weißwein
400 g Tomaten aus der Dose, gewürfelt
Salz und Pfeffer
450 g gemischtes Weißfischfilet, gehäutet und gewürfelt
220 g ausgelöste Jakobsmuscheln, abgebürstet und Bärte entfernt
4–6 frische Lasagneblätter
220 g Mozzarella, gewürfelt

1 Die Butter in einem Topf zerlassen und das Mehl und das Senfpulver einrühren. 2 Minuten leicht anschwitzen, ohne zu bräunen. Langsam mit der Milch glatt rühren. Aufkochen und 2 Minuten köcheln lassen. Vom Herd nehmen und beiseite stellen. Den Topf abdecken, damit sich keine Haut bildet.

2 Öl in einer Pfanne erhitzen und Zwiebel, Knoblauch und Thymian unter gelegentlichem Rühren 5 Minuten bei schwacher Hitze andünsten. Pilze zugeben und 5 Minuten dünsten. Wein einrühren und fast vollständig verkochen lassen. Die Tomaten unterrühren und 15 Minuten köcheln lassen. Abschmecken.

2

3 Eine Lasagneform einfetten. Den Boden mit der Hälfte der Tomatensauce bedecken und die Hälfte Fisch und Muscheln darauf verteilen.

3

4 Fisch mit der Hälfte der Lasagneblätter bedecken, die Hälfte helle Sauce darüber geben und mit der Hälfte Mozzarella bestreuen. Die Schichten wiederholen.

4

5 Im vorgeheizten Backofen bei 200 °C 40 Minuten backen, bis der Käse goldgelb ist und der Fisch und die Muscheln gar sind. Aus dem Ofen nehmen, 10 Minuten ruhen lassen und servieren.

Spaghetti mit Meeresfrüchten

Für 4 Personen

2 TL Olivenöl
1 kleine rote Zwiebel, fein gehackt
1 EL Zitronensaft
1 Knoblauchzehe, zerdrückt
2 Selleriestangen, fein gehackt
150 ml Fischfond
150 ml trockener Weißwein
1 Bund frischer Estragon
450 g Miesmuscheln, abgebürstet und Bärte entfernt
225 g Garnelen, ausgelöst
225 g kleine Tintenfische, geputzt und in Ringe geschnitten
8 gekochte Krebsscheren, ausgelöst
225 g Spaghetti
Salz und Pfeffer
2 EL frisch gehackter Estragon, zum Garnieren

TIPP

Krebsscheren haben eine sehr harte Schale. Lassen Sie sich die Scheren beim Fischhändler knacken. Die vorderen Segmente bleiben dabei intakt.

1 Öl in einer Pfanne erhitzen. Zwiebel mit Zitronensaft, Knoblauch und Sellerie 3–4 Minuten dünsten.

2 Brühe und Wein zugießen, aufkochen. Estragon und Muscheln zufügen. Abgedeckt 5 Minuten kochen. Garnelen, Tintenfisch und Krebsscheren zufügen und 3–4 Minuten kochen, bis der Tintenfisch weißlich, die Garnelen rosa und die Muscheln geöffnet sind. Geschlossene Muscheln wegwerfen. Estragon entfernen.

3 Unterdessen in einem Topf die Spaghetti bissfest kochen, abgießen und abtropfen lassen.

4 Die Spaghetti unter die Meeresfrüchte-Mischung heben und mit Salz und Pfeffer würzen.

5 Auf vorgewärmten Tellern anrichten und mit der Kochflüssigkeit übergießen. Mit frisch gehacktem Estragon garnieren.

1

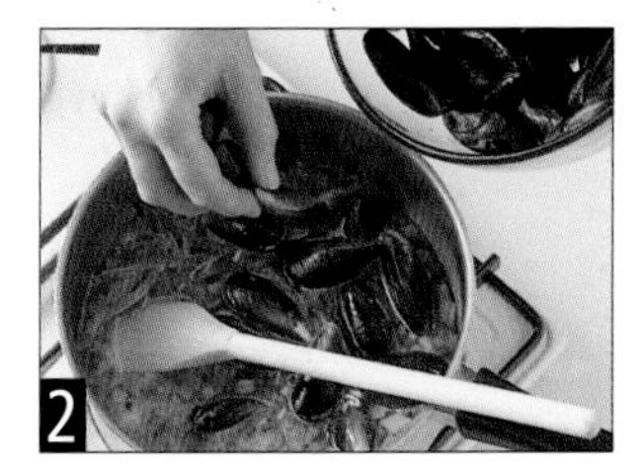
2

2

Sardischer Snapper

Für 4 Personen

150 ml Rotwein
50 g Sultaninen
2 EL Olivenöl
2 Zwiebeln, in Ringe geschnitten
1 Zucchini, in 5 cm lange Stifte geschnitten
2 Orangen
2 TL leicht zerstoßene Koriandersamen
4 Red Snapper, filetiert
50 g Sardellen aus der Dose, abgetropft
2 EL frisch gehackter Oregano

TIPP

Red Snapper ist im Fisch- und Delikatessenhandel – wenn nicht frisch, dann tiefgekühlt. Andere Fischsorten, etwa Rotbarben oder Rotbarsch, sind für dieses Gericht aber auch geeignet.

1 Den Rotwein in eine Schüssel geben und die Sultaninen darin 10 Minuten einweichen.

2 Das Öl in einer großen Pfanne erhitzen und die Zwiebeln darin 2 Minuten andünsten.

3 Zucchini zugeben und 3 Minuten weich dünsten.

4 Mit einem Zestenschneider dünne Streifen von einer Orange schälen. Die restliche Schale der beiden Orangen mit einem scharfen Messer entfernen, dann die einzelnen Fruchtsegmente entlang der Hautlappen einschneiden, herauslösen und so das Fruchtfleisch filetieren.

5 Orangenzesten, Rotwein, Sultaninen, Koriander, Red Snapper und Sardellen zu dem Gemüse in die Pfanne geben und 10–15 Minuten köcheln lassen.

6 Oregano und Orangenfilets einrühren, die Pfanne vom Herd nehmen und abkühlen lassen. Anschließend alles in eine große Schüssel geben und abgedeckt mindestens 2 Stunden in den Kühlschrank stellen. Dann auf Teller verteilen und servieren.

3

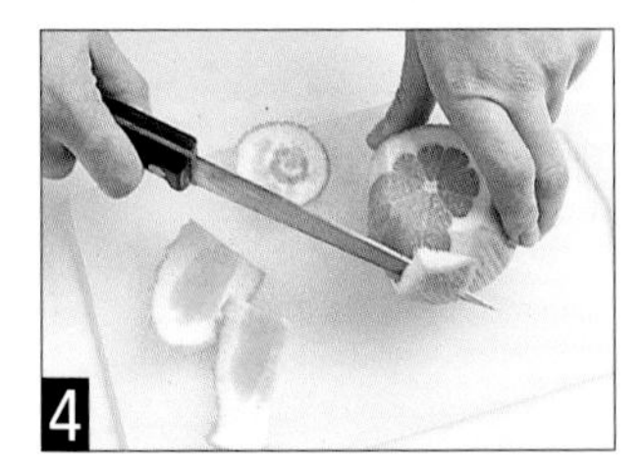
4

5

Fideua

Für 6 Personen

3 EL Olivenöl
1 große Zwiebel, gehackt
2 Knoblauchzehen, fein gehackt
1 Msp. Safran, zerstoßen
½ TL Paprikapulver
3 Tomaten, gehäutet, entkernt und gewürfelt
350 g Eier-Vermicelli, in 5 cm lange Stücke gebrochen
150 ml Weißwein
300 ml Fischfond
12 große Garnelen
18 Miesmuscheln, abgebürstet und Bärte entfernt
18 große Venusmuscheln, abgebürstet
350 g Tintenfischringe
2 EL frisch gehackte Petersilie
Salz und Pfeffer
Zitronenspalten, zum Servieren

1 Das Öl in einer großen Brat- oder Paellapfanne erhitzen und die Zwiebel darin unter gelegentlichem Rühren 5 Minuten glasig andünsten. Den Knoblauch zugeben und weitere 30 Sekunden dünsten. Safran und Paprikapulver einrühren. Die Tomaten zugeben. 2–3 Minuten kochen.

VARIATION

Verwenden Sie auch Langusten, Garnelen oder Seeteufel.

2 Die Vermicelli zugeben und verrühren. Die Hitze erhöhen, den Wein zugießen und einkochen lassen.

3 Fischfond, Garnelen, Muscheln und Tintenfischringe zugeben, durchrühren und 10 Minuten sanft köcheln lassen, bis sich die Muscheln geöffnet haben. Die Brühe sollte fast vollständig aufgenommen sein.

4 Die Petersilie einrühren und mit Salz und Pfeffer abschmecken. Auf vorgewärmte Suppenteller geben, mit Zitronenspalten garnieren und servieren.

Marokkanische Fisch-Tagine

Für 4 Personen

2 EL Olivenöl
1 große Zwiebel, fein gehackt
1 Msp. Safran
½ TL Zimt
1 TL gemahlener Koriander
½ TL gemahlener Kreuzkümmel
½ TL gemahlene Kurkuma
200 g Tomaten aus der Dose, gewürfelt
300 ml Fischfond
4 kleine Red Snapper, filetiert
50 g grüne Oliven, entsteint
1 EL gehackte eingelegte Zitrone
3 EL frisch gehackter Koriander
Salz und Pfeffer
Couscous, zum Servieren

TIPP

Für eingelegte Zitronen füllen Sie ein Einmachglas bis zum Rand mit geviertelten Zitronen und 4 EL Meersalz pro Zitrone. Geben Sie den Saft einer Zitrone zu und füllen Sie das Glas mit Wasser auf. 1 Monat ziehen lassen.

1 Das Öl in einem großen Topf oder Bräter erhitzen und die Zwiebel unter gelegentlichem Rühren 10 Minuten bei schwacher Hitze glasig andünsten, aber nicht bräunen. Safran, Zimt, gemahlenen Koriander, Kreuzkümmel und Kurkuma zugeben und unter ständigem Rühren weitere 30 Sekunden braten.

2 Tomaten und Fischfond zugeben und gründlich verrühren. Aufkochen, abdecken und 15 Minuten köcheln lassen. Unabgedeckt weitere 20–35 Minuten köcheln lassen, bis die Sauce andickt.

3 Die Fische halbieren und in die Sauce geben. Weitere 5–6 Minuten sanft köcheln lassen, bis der Fisch gerade gar ist.

4 Vorsichtig Oliven, Zitrone und frischen Koriander einrühren. Mit Salz und Pfeffer abschmecken und direkt aus dem Bräter mit Couscous servieren.

2

3

4

Stockfisch mit Sellerie

Für 4 Personen

250 g Stockfisch, über Nacht in Wasser eingeweicht
1 EL Öl
4 Schalotten, fein gehackt
2 Knoblauchzehen, zerdrückt
3 Selleriestangen, in Scheiben geschnitten
400 g Tomaten aus der Dose, gewürfelt
150 ml Fischfond
50 g Pinienkerne
2 EL frisch gehackter Estragon
2 EL Kapern
Baguette oder Kartoffelpüree, als Beilage

TIPP

Der im Fisch- und Delikatessenhandel erhältliche Stockfisch kann lange gelagert werden. Nach dem Einweichen verarbeiten Sie ihn wie frischen Fisch weiter. Er hat jedoch einen intensiveren und etwas salzigeren Geschmack als andere Fischsorten.

1 Den Stockfisch abtropfen lassen, abspülen und noch einmal gut abtropfen lassen. Dann Haut und Gräten entfernen, die Filets mit Küchenpapier trockentupfen und in Stücke schneiden.

2 Das Öl in einer Pfanne erhitzen. Schalotten und Knoblauch darin 2–3 Minuten andünsten. Sellerie zugeben und weitere 2 Minuten dünsten, dann Tomaten und Fischfond zufügen.

3 Die Mischung aufkochen, dann die Hitze reduzieren und die Sauce 5 Minuten köcheln lassen.

4 Die Fischstücke zugeben und 10 Minuten in der Sauce garen.

5 Währenddessen die Pinienkerne auf ein Backblech legen und unter dem vorgeheizten Backofengrill 2–3 Minuten goldbraun rösten.

6 Estragon, Kapern und Pinienkerne in die Pfanne geben und vorsichtig mit dem Fisch erhitzen.

7 Das fertige Gericht auf Teller verteilen und mit Baguette oder Kartoffelpüree servieren.

Spanischer Fischeintopf

Für 4 Personen

5 EL Olivenöl
2 große Zwiebeln, fein gehackt
2 reife Tomaten, gehäutet, entkernt und gewürfelt
2 Scheiben Weißbrot, ohne Rinde
4 Mandeln, geröstet
3 Knoblauchzehen, grob gehackt
350 g gekochter Hummer
200 g Tintenfisch, küchenfertig
200 g Seeteufelfilet
200 g Kabeljaufilet, gehäutet
Salz und Pfeffer
1 EL Mehl
6 große Garnelen, ausgelöst
6 Langusten
18 Miesmuscheln, abgebürstet und Bärte entfernt
8 Venusmuscheln, abgebürstet
1 EL frisch gehackte Petersilie
125 ml Weinbrand

1 Drei Esslöffel Öl in einer Pfanne erhitzen und die Zwiebeln darin 10–15 Minuten goldgelb anbraten. Die Tomaten zugeben und kochen, bis sie zerfallen.

2 Einen Esslöffel des restlichen Öls erhitzen und das Brot rösten. In kleine Stücke brechen und im Mörser mit Mandeln und 2 Knoblauchzehen zu einer Paste verarbeiten.

3 Den Hummer längs aufschneiden, den Darm, den Magensack und die Kiemen entfernen. Die Scheren aufbrechen und das Fleisch auslösen. Das Fleisch aus dem Schwanz lösen und in Stücke schneiden. Tintenfisch in Ringe schneiden.

4 Seeteufel, Kabeljau und Hummer würzen und in Mehl wälzen. Das restliche Öl in einer Pfanne erhitzen und Fisch, Hummer, Garnelen und Langusten einzeln anbräunen.

5 Fisch und Meeresfrüchte in einen Bräter geben. Die Muscheln mit dem restlichen Knoblauch und der Petersilie zufügen und bei schwacher Hitze auf den Herd stellen. Mit Weinbrand übergießen und flambieren. Wenn die Flammen verloschen sind, die Tomatenmischung und genügend Wasser zugießen, um die Meeresfrüchte zu bedecken. Aufkochen und 3–4 Minuten köcheln lassen, bis sich die Muscheln öffnen. Alle nicht geöffneten Muscheln wegwerfen. Die Brotpaste einrühren und abschmecken. Weitere 5 Minuten köcheln lassen.

Tintenfisch in der eigenen Tinte

Für 4 Personen

450 g ganze kleine Tintenfische
4 EL Olivenöl
1 kleine Zwiebel, fein gewürfelt
2 Knoblauchzehen, fein gehackt
1 TL Paprikapulver
180 g reife Tomaten, gehäutet, entkernt und gehackt
150 ml Rotwein
150 ml Fischfond
Salz und Pfeffer
220 g Polenta
3 EL frisch gehackte glatte Petersilie

1 Die Tentakel abtrennen und den Schnabel entfernen. Den Kopf vom Körper abschneiden und wegwerfen. Den Körper entlang des dunkel gefärbten Rückens aufschneiden. Den Schulp und die Innereien entfernen und den Tintensack aufbewahren. Haut abziehen, Körper kalt abspülen und trockentupfen. Das Fleisch grob hacken und beiseite stellen. Den Tintensack aufschneiden und die Tinte in einer kleinen Schüssel mit etwas Wasser verdünnen. Beiseite stellen.

2 Öl in einem großen Topf erhitzen und die Zwiebel darin 8–10 Minuten bei schwacher Hitze bräunen. Den Knoblauch zugeben und 30 Sekunden dünsten. Tintenfisch zugeben und 5 Minuten bräunen. Das Paprikapulver einstreuen, 30 Sekunden rühren, dann die Tomaten zugeben. Weitere 2–3 Minuten kochen, bis die Tomaten zusammenfallen.

3 Rotwein, Fischfond und Tinte gut unterrühren. Aufkochen und ohne Deckel 25 Minuten köcheln lassen, bis der Tintenfisch zart und die Sauce angedickt ist. Abschmecken.

4 Unterdessen die Polenta nach Packungsanweisung kochen. Vom Herd nehmen und Petersilie, Salz und Pfeffer einrühren.

5 Die Polenta auf 4 Teller verteilen und den Tintenfisch mit Sauce darauf anrichten.

Fischauflauf deluxe

Für 4 Personen

80 g Butter
3 Schalotten, fein gehackt
120 g kleine Champignons, halbiert
2 EL trockener Weißwein
900 g Miesmuscheln, abgebürstet und Bärte entfernt
500 ml Fischfond
300 g Seeteufelfilet, gehäutet und gewürfelt
300 g Kabeljaufilet, gehäutet und gewürfelt
300 g Rotzungenfilet, gehäutet und gewürfelt
120 g Riesengarnelen, ausgelöst
4 EL Mehl
4 EL Crème double
KARTOFFELBELAG
1,5 kg mehlig kochende Kartoffeln, in Stücken
50 g Butter
2 Eigelb
120 ml Milch
1 Prise frisch geriebene Muskatnuss
Salz und Pfeffer
frische Petersilienzweige, zum Garnieren

1 Für die Füllung 25 g der Butter in einer Pfanne zerlassen und die Schalotten darin 5 Minuten andünsten. Champignons zugeben und 2 Minuten andünsten. Den Wein zugießen und verkochen lassen. In eine flache Auflaufform geben.

2 Die vom Waschen feuchten Miesmuscheln in einen großen Topf geben und abgedeckt 3–4 Minuten bei starker Hitze kochen, bis sie sich geöffnet haben. Alle nicht geöffneten Muscheln wegwerfen. Abgießen und die Flüssigkeit auffangen. Die abgekühlten Muscheln aus den Schalen lösen und zu den Champignons geben.

3 Den Fischfond aufkochen und den Seeteufel zugeben. 2 Minuten pochieren. Kabeljau, Rotzunge und Garnelen zugeben und weitere 2 Minuten pochieren. Die Meeresfrüchte zu Muscheln und Champignons geben.

4 Die restliche Butter in einem Topf zerlassen und das Mehl einstreuen. Glatt rühren und 2 Minuten anschwitzen. Nach und nach den Fischfond und den Muschelsud zugießen und glatt rühren. Die Crème double einrühren und unter Rühren 15 Minuten sanft köcheln lassen. Abschmecken und über den Fisch geben.

5 Den Backofen auf 200 °C vorheizen. auf ie Kartoffeln kochen, gut abtropfen lassen und mit Butter, Eigelb, Milch, Muskat, Salz und Pfeffer pürieren. Mit einem Spritzbeutel auf dem Fisch verteilen oder mit einem Palettenmesser verstreichen.

6 Den Auflauf 30 Minuten goldgelb backen. Sofort mit frischer Petersilie garniert servieren.

2

A

B

C

D

E

F

G

H

I, J

K

L